Annie Jones
Glangors

AR Y MÔR

R J Roberts

Argraffiad Cyntaf — Tachwedd 1993

ISBN 0 86074 095 1

Cyhoeddwyd ac Argraffwyd gan
Wasg Gwynedd, Caernarfon

Cynnwys

Rhagair

Ni bu erioed yn fwriad gennyf i ysgrifennu llyfr. Bûm yn croniclo peth o'r hanes ers rhai blynyddoedd a bûm yn gofidio hefyd cyn lleied a ysgrifennwyd yn Gymraeg am gyfnod y rhyfel ar y môr. Dim ond pedair blynedd ar ddeg o brofiad morwrol a gefais i. Nid yw'n ddim o'i gymharu â phrofiad rhai o'm cyfoedion a dreuliodd oes ar longau a theimlaf mai tipyn o hyfdra ar fy rhan yw cyhoeddi dim byd.

Ond nid arnaf fi mae'r bai i gyd. Mrs Megan Roberts, Bryn Teg, Llanengan a'm cymhellodd i ddal ati i ysgrifennu a Mrs Beti Hughes, Bryn Haf, Bwlchtocyn a'm perswadiodd i geisio ei gyhoeddi.

Diolch iddynt hwy, ac i Dyfed Evans, Pencaenewydd am roi trefn ar y cwbl.

Diolch hefyd i J. Hayward, Halifax, Nova Scotia, am y llun o'r *Aquitania* ac i Amgueddfa Diwydiant a Môr Cymru, Caerdydd, am y lluniau o'r *Hadleigh* a'r *Ruperra*.

Mae diolch yn ddyledus hefyd, wrth gwrs, i Wasg Gwynedd am ei diddordeb ac am waith cymen yn ôl ei harfer.

R. J. Roberts
Llangybi
Eifionydd

Hanes Cynnar

Nid wyf yn cofio amser pan nad oeddwn am fynd yn forwr. Ac 'rwyf wedi meddwl llawer beth yn union a ddylanwadodd arnaf fel cynifer o hogiau Cymru, a hogiau Llŷn ac Eifionydd yn arbennig.

'Roedd ein cartref ni o 1918 i 1925 yn rhif 2 Penlan — tai bychain sydd ger yr afon yn Abersoch. Mae'n debyg fy mod yn ddigon solat ar fy nhraed yn ddeunaw mis oed, tua diwedd 1922, i fedru mynd i lawr at y cychod ac i'r afon. Clywais Mam yn dweud lawer gwaith fel y byddai Hannah Jones, a oedd yn byw drws nesa', yn gweiddi arni: 'Jane, well i chi fynd i nôl yr hogyn bach 'na. Fydd dim iws ichi fynd wedi iddo foddi!'

Cychod a chychwyr oedd o'm cwmpas bob dydd, a chwch wedi i 'Nhad ei wneud oedd un o'r teganau cyntaf a gefais.

Fel bron bawb o'r dynion lleol, 'roedd gan fy Nhad gwch, a chofiaf yn dda am Elizabeth fy chwaer a minnau yn hwylio efo fo.

Mae gennyf gof hefyd am fy Nhad yn mynd â ni i lawr at yr afon, wedi iddi dywyllu, i ddangos môr-dân inni, y golau ffosffor ar wyneb y dŵr.

Yn y blynyddoedd hynny byddai llawer yn mynd i'r traeth o ddiwedd Ebrill hyd ddechrau Mehefin i ddal llymrïaid, a chawn innau godi gyda'r wawr i fynd efo 'Nhad — y fo yn palu efo fforch datws a minnau'n dal y llymrïaid arian, gwylltion a'u rhoi yn y bwced. Byddai llawer o ardal Mynytho, ddwy neu dair milltir i ffwrdd, yn cerdded i'r traeth i'w hel hefyd. Arferai 'Nhad ac amryw eraill osod cefnen — lein hir â bachau arni — i bysgota a defnyddient lymrïaid yn abwyd. Dalient lawer o bysgod: lledod, draenogiaid a chathod môr yn bennaf.

'Roedd cyswllt â'r môr yn y capel hefyd. Un o'r pethau cyntaf a ddenodd fy sylw pan ddechreuais fynd i'r capel oedd y darlun ar y mur yno, sef llun llong hwyliau mewn storm uwchben y geiriau 'Cofiwch y Morwyr'.

Gyda'r nos yn yr haf byddai'r meinciau i lawr ger Penycei yn llawn o ddynion môr, pawb â'i bibell yn ei ben yn hel atgofion am hynt a helynt cychod a llongau. Clywid enwau llefydd fel Valparaiso, Taltal, Callao, Buenos Aires, Cape Town, Hambro a Genoa yn amlach o lawer na llefydd fel Pwllheli a Chaernarfon.

Er bod yr un profiadau yn gyffredin i'm ffrindiau pennaf, sef Ifan Trofa, Wil Derlwyn ac Eric Gwynant, ni chlywais yr un o'r tri yn sôn am fynd i'r môr. 'Roedd tad Eric wedi bod *deep sea* ac 'roedd amryw o'i deulu yn forwyr.

Gwn yn iawn fod fy Mam a'i dau frawd wedi cael eu dysgu a'u meithrin i gasáu'r môr. 'Roedd amryw o resymau am hynny. Yn ystod pen-wythnos y Pasg 1899 diflannodd Elin, chwaer Nain, a hithau'n chwech-ar-hugain oed. 'Roedd wedi bod yn gosod tatws yn Nhyddyn Talgoch drwy'r dydd ac wedi cael ychydig o datws hadyd i fynd adref efo hi. Daethai'n nos cyn iddi gychwyn am adref i Growrach, ac 'roedd hi'n niwl trwchus. Gan nad oedd wedi cyrraedd erbyn deg aed i chwilio amdani. 'Roedd Mary, ei chwaer, wedi priodi ac yn byw ym Mhenrhyn Terrace ac yno yn naturiol yr aed gyntaf i holi.

Siwrnai seithug a gafwyd. 'Roedd Dewyrth Dafydd yn bump oed ar y pryd ac yn cofio amdano'i hun yn sefyll efo'i fam yn nrws Crowrach a chlywed yr ardalwyr yma ac acw hyd yr ardal yn bloeddio 'Elin, Elin.' Doed o hyd i ôl ei thraed ger creigiau Trwyn yr Wylfa drannoeth, a darganfuwyd ychydig o datws yma ac acw, ond ni welwyd byth mo'i chorff. Dyna un rheswm dros i Mam gasáu'r môr.

Wedyn, 'roedd Ellis, brawd fy Nain Crowrach, wedi priodi Catherine, Brynawel ac 'roedd brawd Catherine, sef Thomas John Williams, yn ail fêt ar long berthynol i Thomas Morel, Caerdydd, yr *SS Llansannor.* 'Roedd y llong yn Bahia Blanca yn Ariannin yn 1906 pan fu farw Thomas John, ac yno y claddwyd ef yn 33 mlwydd oed.

Pan oedd Mam yn bedair-ar-bymtheg oed 'roedd yn gweini yn Olgra, Abersoch efo Mrs Capten Williams. 'Roedd Thomas Williams, Olgra yn gapten ar long o'r enw *Maritime* a phan fyddai'r llong mewn porthladd ym Mhrydain arferai Mrs Williams a'r ddwy ferch fach, Eluned a May, ymuno ag ef, a byddai Mam yn cael mynd efo nhw. 'Roeddynt wedi mynd i lawr i Gaerdydd rywdro yn 1913. Ymhen ychydig ddyddiau wedi i'r merched droi am adref hwyliodd y *Maritime* o Gaerdydd i Abertawe i lwytho ac o'r fan honno wedyn am borthladd pellennig. A dyna'r olwg olaf a welwyd arni. Diflannodd, ysywaeth, am byth. 'Roedd dau arall o gyffiniau Abersoch yn ogystal â Chapten Williams yn aelodau o'r criw. Dyna reswm arall dros anhoffter fy Mam o'r môr.

Diwrnod trip yr Ysgol Sul a dydd Nadolig oedd y ddau brif ddiwrnod i ni pan oeddem yn blant. A sôn am wefr a gefais pan aethom unwaith am drip rownd Sir Fôn.

Cawsom ginio yn Amlwch, ac wrth gychwyn oddi yno am Gaergybi gwelsom un o longau cwmni y Blue Funnel yn hwylio'n weddol agos i'r arfordir, ac 'roedd gwledd arall yn ein haros yng Nghaergybi, sef cael mynd ar fwrdd y llong *Cambria*.

Bob dydd Nadolig, ar ôl cinio, cawn fynd i Trofa at Ifan fy nghyfaill i dreulio gweddill y dydd. 'Roedd yno radio, flynyddoedd cyn i ni gael un yn Nhŷ Capel, fy nghartref erbyn hynny, ac uchafbwynt y pnawn fyddai'r darlledaid a ddechreuai tua dau o'r gloch — Llundain yn galw pellafoedd yr Ymerodraeth Brydeinig. O mor felys fyddai clywed y gwahoddiadau: *'Come in Ottowa,' 'Come in Jamaica,' 'Come in Australia,'* ac ati. Yna am dri o'r gloch — y Brenin Siôr V yn cyfarch ei ddeiliaid, ac Ifan a'i dad a'i fam, ei fodryb Lydia a minnau yn gwrando'n ddistaw fel llygod.

Drwy ein plentyndod hapus treuliodd Ifan, Eric a minnau y rhan fwyaf o'n hamser yn chwarae, un ai ar lan y môr neu ar lan afon Soch.

Bryd hynny 'roeddem yn adnabod pob cwch yn y bae ynghyd â'r llongau a fyddai'n galw'n achlysurol, megis y *Charles McIver*, llong berthynol i Trinity House a ddeuai i archwilio goleudy St Tudwal neu'r *Florence Cooke*, llong cwmni Cookes, gwaith powdwr Penrhyndeudraeth. Un arall oedd y *Teifi*, llong Capten Robert Roberts, Mynytho (Robin Carmel) a ddeuai fel amryw o rai eraill i lwytho ithfaen o chwareli Llanbedrog.

'Roedd Mr William Williams, Tyddyn Callod, yn berchen ar fflyd o gychod rhwyfo a chanŵs. Fe'u huriai i ymwelwyr yn yr haf, ond ni, yr hogiau lleol, fyddai'n mynd â nhw ar y dŵr ddechrau'r tymor er mwyn i'w coed chwyddo — eu 'stanshio' nhw ys dywedem.

Cawsom oriau bwygilydd o bleser hefyd wrth bysgota llysywod yn afon Soch a brithyll bychain yn afon y Felin a lifai o lyn y gwaith dŵr.

Yn naturiol chefais i 'rioed ddim arlliw o gefnogaeth gan Mam wedi iddi ddeall o ddifri fy mod am fynd i'r môr ac ar ôl gadael yr ysgol yn bymtheg oed euthum i weithio yn y Post yn cario teligramau a negeseuon, ond fy nod o hyd oedd cael lle ar long.

Anfonais ddegau o lythyrau i wahanol gwmnïau llongau — ond ni ddaeth yr un atebiad. 'Roedd Mr Ted Roberts, siop Paragon wedi ysgrifennu llythyr yn batrwm imi, a chofiaf y rhan fwyaf ohono heddiw.

To the Superintendent

. . . . Line

Dear Sir,

Having a strong desire to take up a sea-faring occupation, I am anxious to start as such with the ..... Line

A diweddu wrth gwrs:

Yours obediently,

Yn y cyfamser 'roedd rhai o'm ffrindiau wedi bod yn lwcus ac wedi cael llong. Aethai Einion (Capten Einion Roberts, wedi hynny, Llys Fair) i Hull i ymuno ag un o longau Radcliffe, sef yr *SS Llandeilo*, neu y *Llanwern*. 'Roedd Harri Roberts, White Horse, wedi ymuno â'r tancer *British Advocate*, a Wil Êl (y Cynghorydd W. E. Jones, Caecerrig, Mynytho) wedi hwylio ar y *Neleus* — un o longau'r Blue Funnel. Cawsai cyfyrder i mi, sef Oswald, Llainhenryd, Cilan, long yn 1937 ac 'roedd ef ar y *King Edwin* yn rhywle yr ochr arall i'r byd pan fu farw ei fam. Meddyliodd Mam y buasai'n medru rhoi tipyn o bwysau arnaf i newid fy meddwl wrth iddi sôn yn aml am 'Oswald bach mor bell a Lisi druan yn ei bedd.' Ail-adroddai'n aml: 'Tydi'r hen fôr yna ddim ffit i neb call.' Bu mwy o bwysau byth arnaf pan welodd Mam yn yr *Herald* fod Mr Paul, mêt y *King Edwin*, wedi ei ladd mewn damwain ar y llong.

Fel llaweroedd o'm cyfoedion 'roeddwn wedi cynilo rhai punnoedd ers dyddiau ysgol trwy fod yn gadi yn y golff. Y tâl a gawsem oedd chwe cheiniog am fynd rownd y cwrs naw twll a thair ceiniog, gan amlaf, o gildwrn ar ben hynny. Telid swllt am fynd rownd y cwrs ddwywaith a chwechyn o gildwrn — mwy yn wir, gan aml un.

Aeth y cynilion hynny ynghyd â'r hyn oedd yn weddill o fy chweugain yr wythnos o gyflog yn y Post i brynu dillad i fynd i'r môr. Cefais gitbag gan Yncl Johnnie — yr un a oedd ganddo yn y fyddin yn rhyfel 1914-18, a phrynais gês mawr yn y Post am 12/6, a *sea boots* uchel, nid wellingtons bid siŵr, yn siop Amos Prydderch am 17/6. Ac 'roedd Mam a fy chwaer wedi gwnïo RJR yn goch ar bob dilledyn o'm heiddo. Hyn oll bron ddwy flynedd cyn i mi gael llong.

Meddyliais yn siŵr unwaith fy mod am gael lle ar yr *SS Llanarth*, un o longau Radcliffe. 'Roedd Mr Roberts, Daufryn, yn fosyn arni, a chredai'n siŵr y buasai'n medru cael bachiad imi fel decboi. Addawodd yrru teligram o Gaerdydd pe bai'n llwyddiannus. 'Roedd popeth yn barod gennyf a disgwyliwn yn eiddgar ond ni ddaeth teligram.

Âi trip Ysgol Sul capel y Bwlch i Lerpwl yn 1937. Euthum efo nhw gan fy mod wedi cael llythyr gan Capten William Griffiths, Trefaes, i fynd i weld dyn pwysig o'r enw Mr Pringle yn swyddfa cwmni llongau Furness Withy yn y Liver Buildings. Fe'i gwelais, ond ni fedrai hwnnw ychwaith addo dim gan fod pethau'n bur wan. Chlywais i ddim gair pellach oddi wrtho, ond mae'n debyg fod degau yn gofyn am waith iddo bob dydd.

Yn Ionawr 1939 daeth Mr David Williams, Hazelhurst, adref am wyliau. 'Roedd ef yn swyddog efo cwmni llongau W. J. Tatem, Caerdydd.

Gofynnais iddo tybed a fuasai yn medru cael lle imi, a dywedodd y gyrrai air i Mr Owen, y mêt, i ofyn. Addawodd hefyd ddod i gael gair efo 'Nhad a Mam. Rhuthrais adref yn fachog i ddweud y newydd da wrthynt. Cofiaf yn dda beth a ddywedodd Mam pan esboniais ei bod yn llong reit fawr a thua 35 o griw arni. 'Mi fydd gen ti ddigon o gwmpeini i foddi yn bydd?' meddai hithau.

Daeth Mr Williams acw yn ôl ei addewid. 'Roedd o a 'Nhad tua'r un oed ac yn gyfeillion bore oes. Erbyn hyn cawsai Mr Williams air gan y mêt yn dweud y byddai lle imi, ac addawodd yntau yrru teligram o'r Barri wedi iddo fynd yn ôl.

'Roedd Mr Williams yn ŵr uchel ei barch gan bawb. Aeth i'r môr yn ifanc iawn ar longau Porthmadog a go brin y medrai neb ddysgu dim iddo ef am fywyd y môr.

Cefais Feibl gan Mr R. O. Roberts y Post pan orffennais weithio yno. Fel y gweddill o'm cyfoedion byddwn yn mynd i'r Seiat ar nos Fawrth, a chofiaf yn dda am y Parch J. H. Pugh, y Gweinidog, yn fy nghynghori a'm siarsio i fod yn hogyn da. Cefais air o gyngor hefyd gan un neu ddau o'r blaenoriaid, a chyngor yn siop Glandulyn gan Mr Samuel Davies. Y cyngor a gafodd ef ei hun pan aeth i'r fyddin yn 1914 oedd hwnnw, sef '*never do anything your mother would be ashamed of.*'

Cynghorion hefyd wrth gwrs gan Taid a Nain. Byddwn yn treulio llawer o amser yn nhŷ fy nain. Dywedodd hi rywbeth syfrdanol wrthyf flynyddoedd ynghynt wrth fy nghymell i fwyta. 'Bwyta di ddigon 'y ngwas i,' meddai, 'i ti gael cefn cry; fydd dy dad ddim yn fyw yn hir iawn eto, ac mi fydd yn rhaid iti helpu dy fam.' Cawsai fy Nhad lwch ar ei frest ac 'roedd yn ddifrifol o fyglyd.

'Roedd 'Nhad a Mam yn gyfarwydd â thrychinebau yn eu teuluoedd. Fel y soniais yn barod diflannodd Elin, modryb fy Mam, mewn dirgelwch. Bu ei dau frawd yn y fyddin yn ystod rhyfel 1914-18 a chafodd un ohonynt ewinrhew ar ei draed yn y ffosydd yn Ffrainc a bu mewn ysbytai am dros ddeunaw mis. Treuliodd y gweddill o'i oes efo dim ond darnau o draed.

Lladdwyd Taid, tad fy nhad, yn y danchwa ym mhwll glo yr Albion yng Nghilfynydd ym mis Mehefin 1894 pan laddwyd 286 o ddynion. Nid oedd Taid ond 35 oed, a gadawyd Nain Cilan yn weddw efo naw o blant mân. Bu farw dau ohonynt o'r diptheria yn 1896.

Gadawodd y danchwa honno gysgod trwm ar Abersoch a'r cyffiniau gan i un-ar-ddeg o'r ardal gael eu lladd yn y trychineb.

Lladdwyd John, brawd i'm tad, bedwar diwrnod cyn y cadoediad ym mis Tachwedd 1918. 'Roedd yn briod ac yn byw yng Nghaepwllheulog ar y pryd.

Ond ar waethaf pob trychineb, ar fynd i'r môr yr oedd fy mryd i. Ac yn y diwedd cefais fy nymuniad.

Chwefror — Hydref 1939

Ar fore Llun, Ionawr 30, 1939 nid oedd eisiau cloc larwm na neb i fy neffro. 'Roedd popeth wedi'u pacio y noson cynt.

Daeth 'Nhad i'm danfon at y bws, a dyna fi, wedi cael cychwyn o'r diwedd. Awn i Bwllheli i ddal y trên am y Barri.

Unwaith erioed o'r blaen yr oeddwn wedi bod ar drên, a hynny pan oeddwn yn bump oed. Aethai fy Nhad ac Elizabeth, fy chwaer hynaf, a minnau am dro i Gaernarfon i weld y castell bryd hwnnw. Ychydig iawn a gofiaf am y daith i'r Barri, ond cofiaf yn dda fod niwl trwchus yno pan gyrhaeddais rywdro rhwng chwech a saith. Mae'n rhaid fod golwg ofnus a chythryblus arnaf pan roddais fy nhocyn i'r casglwr tocynnau wrth adael y trên. Holodd fi i ble'r awn. Eglurais innau fy mod yn mynd i'r dociau i ymuno â'r *SS Hadleigh*. Rhybuddiodd fi am beryglon y dociau yn y tywyllwch a'r niwl.

'Mi wnawn ni edrych ar ôl y bag a'r cês,' meddai, 'a dos dithau i'r Seamen's Mission i aros tra byddwn ni yn anfon gair i'r llong i ddweud ble 'rwyt ti.'

Y Mission oedd y lle mwyaf digalon y bûm ynddo erioed. Fi oedd yr unig un ifanc yno. Dynion mewn oed, a'r rhan fwyaf ohonynt yn ddu, brown neu felyn oedd y gweddill, hyd y medrwn weld drwy fwg trwchus y sigarennau a'r pibelli. I wneud pethau yn fwy digalon fyth, dyma glywed llais Hitler yn areithio ar y radio yn ei ddull gorffwyll a'r miloedd yn ei gymeradwyo gan floeddio *'Zig Heil, Zig Heil'.*

Mae'n rhaid imi gyfaddef fy mod braidd yn ofnus a blinedig pan ddaeth Mr David Williams, ail fêt yr *Hadleigh* i mewn.

'Tyrd, reit sydyn,' meddai. 'Rydan ni eisiau dal y trên yn ôl i Gaerdydd.' Eglurodd fod yr *Hadleigh* wedi gorfod mynd i'r doc sych ac mai pnawn Iau, 2 Chwefror yr oeddem fel criw i gofrestru.

Aeth Mr Williams â mi i lety y bu ugeiniau o Ben Llŷn yn aros ynddo, sef 'Arvonia', 107 Corporation Road, Grangetown. 'Roedd teulu Arvonia yn wreiddiol o fferm Punt y Gwair, Llanengan, a Mr David Williams wedi ei fagu gerllaw ym mwthyn Y Gwter.

Prin y symudais o olwg y tŷ drwy'r dydd drannoeth, a hynny am ddau reswm. Disgwyliwn deligram oddi wrth Mr Williams, ac 'roedd arnaf ofn mynd ar goll yn y ddinas fawr.

Daeth y teligram ddydd Mercher ac mae wedi ei gadw yn ofalus gennyf hyd heddiw, *'Hadleigh signing on tomorrow. Be on board 2 pm, Williams.'* Does dim rhaid dweud fy mod yno ymhell cyn dau o'r gloch ac 'roeddwn yn dipyn o gawr yn cerdded efo rhai o'r criw i'r lan ac i'r *Shipping Office.* Profiad rhyfedd oedd bod yno ynghanol pobl o bedwar ban byd. Rhyfeddach, a thipyn o sioc, yn sicr, oedd gorfod diosg fy nillad o flaen dynes i gael archwiliad meddygol!

Cyhoeddwyd fod pawb i ymuno â'r llong am un munud wedi hanner nos. O'r amser hwnnw yr oedd ein horiau tâl yn cychwyn, ond eglurodd Mr Williams y cawn fynd ar y llong yn syth wedi imi fod yn prynu matres a gobennydd, y *donkey's breakfast*, fel y'i gelwid.

Gyda llaw 'roedd pawb ar y llong, heblaw'r swyddogion, yn gorfod ymorol am fatres, gobennydd, dillad gwely, platiau, mŵg, cyllyll, ffyrc a llwyau ac ati eu hunain. Dyna'r drefn.

'Roeddwn ar fwrdd y llong cyn iddi dywyllu a chefais y 'goriad i gaban y decbois, yn starn y llong. 'Roedd pedair ystafell gysgu yno, tair i'r *Able Seamen*, a ninnau y decbois yn y llall.

'Roeddwn wedi cysgu ymhell cyn hanner nos pan gyrhaeddodd y gweddill o'r criw. Bachgen hanner-du o Leamington Spa oedd Jac, y decboi arall. 'Roedd yn un o deulu adnabyddus, a ddaeth wedyn yn fyd-enwog fel paffwyr — sef y brodyr Jackie, Dick a Randolph Turpin. 'Roedd hwn yn fachgen annwyl iawn a buan y daethom yn ffrindiau mawr. 'Roedd brawd mawr iddo ar y llong hefyd fel taniwr. Cawsom ein deffro am hanner awr wedi chwech er mwyn dechrau gweithio am saith. Y gorchwyl cyntaf a gefais oedd clirio a sgubo'r dec — gan ddechrau reit yn y pen blaen, tra oedd y bosyn a'r A.B.'s yn paratoi'r llong ar gyfer hwylio gyda'r nos. Anfonwyd Jac a minnau at y stiward cyn wyth — amser brecwast — i nôl stôrs personol y llongwyr. 'Roedd popeth wedi ei bwyso'n ofalus inni — te, siwgr, coffi, menyn, marmalêd, cyflenwad wythnos ac un tùn llefrith bob un, a hwnnw i bara am dair wythnos.

'Roedd y brecwast yn bur wahanol i unrhyw frecwast a gawswn o'r blaen, sef uwd, cyri a reis, iau, nionod a thatws a grefi. 'Doeddwn i erioed wedi blasu cyri cyn hynny — na thatws a grefi yr adeg honno o'r dydd ychwaith o ran hynny.

Cawsom awr i frecwasta. Wedyn bu prysurdeb mawr. 'Roedd stôrs y llong wedi cyrraedd: stôrs y dec, pethau fel paent, rhaffau a tharpwlin, wedyn olew ar gyfer y peiriannau a stôrs y cabanau, sef y bwyd. Gan nad oedd rhewgell ar y llong, dim ond bocs iâ, ceisid blociau mawr o rew ar gyfer cig ffres — parhâi hwnnw am ryw bedwar diwrnod. Cig o gasgenni oedd hi wedyn, cig wedi ei halltu. 'Roedd yn anghynnes iawn yr olwg, ond yn reit flasus wedi ei goginio'n iawn. Llwythid hefyd tua dwy dunnell o datws.

Daeth y foment fawr yn hwyr yn y pnawn pan hwyliasom allan o'r Barri ddydd Gwener, Chwefror 3, 1939. Ar ôl gadael y porthladd, gollwng y peilot, clirio a golchi'r deciau, daeth y gorchymyn *Set watches*. 'Roeddwn i ar yr un wyliadwriaeth ag Eusop a Hadji Amat, dau hollol wahanol i'w gilydd. Eusop yn wengar a direidus, a Hadji Amat yn ddi-wên a difrifol. 'Roedd hawl gan Amat i'w alw ei hun yn Hadji am ei fod wedi bod ar bererindod i Fecca.

Ar ôl swper am bump o'r gloch 'roedd prysurdeb mawr yn yr ystafell molchi, pawb â'i bwced sinc wedi bod yn y gali yn nôl dŵr poeth. Dywedodd Eusop wrth Jac, 'Dyma iti bwced o ddŵr cynnes,' a hwnnw yn ei gymryd yn ddigon diniwed heb sylweddoli mai bwced Hadji Amat oedd hi. Bu helynt ffyrnig am ryw bum munud ond dyna'r unig ffrae a welais tra bûm ar y llong.

Âi Eusop, Amat a minnau ar wyliadwriaeth o wyth tan hanner nos, ond er bod y llong bellach wedi dechrau rowlio'n enbyd 'doedd arnaf ddim ofn mynd yn sâl gan fy mod, fel y rhan fwyaf o hogiau Abersoch a'r cyffiniau, wedi hen arfer ar y môr. Ond druan ohonof, 'doeddwn i fawr o feddwl. . .

Am wyth o'r gloch fe'm gyrrwyd ar y *focsle head* i gadw lwcowt. 'Roeddwn i daro'r gloch pan welwn olau; taro unwaith os oedd golau ar yr ochr *Starboard* — yr ochr dde, a dwywaith os oedd golau ar yr ochr *Port*. Yn unol â'r arfer byddai'r llongwr wrth y llyw yn taro'r gloch bob hanner awr, a'r sawl a fyddai ar lwcowt yn ateb drwy daro'r gloch ar y *focsle head*, er mwyn i'r swyddog ar y brij wybod ei fod yn dal yno, ac yn effro. Ar yr awr hefyd byddai'n ofynnol i'r lwcowt gael cipolwg ar y golau gwyn ar y ddau fast, y golau gwyrdd ar yr ochr *Starboard* a'r golau coch ar yr ochr *Port*. Os oeddynt i gyd ynghyn gwaeddai '*Lights are bright, Sir,*' a chlywid yr ateb o'r brij, '*Aye, Aye*'.

Prin y buaswn ar wyliadwriaeth fwy na rhyw awr y noson gyntaf honno nad oeddwn yn dioddef yn ddifrifol o salwch y môr. Cawswn botelaid fach o *barley sugar* gan Mam i'w sipian rhag hynny ond bûm yn taflu i fyny am ddau ddiwrnod solat, a blas y *barley sugar* yn gwneud pethau yn saith gwaeth, a hyd y dydd heddiw mae'n gas gennyf glywed sôn amdanynt!

Er bod Jac a minnau yn sâl fel cŵn, 'roedd yn rhaid inni weithio pedair awr ar y *focsle head* yn y nos, a phedair awr wedyn liw dydd yn symud glo o'r howld i'r byncer efo berfa haearn.

O drugaredd, buan yr anghofiwyd am salwch wrth inni hwylio i'r de orllewin a'r tywydd bellach yn cynhesu a'r môr yn llonyddu bob dydd.

Fel ar bob llong arall yn yr oes honno gweithiem bedair awr a thrigain yr wythnos, ac er bod y dyletswyddau yn ddigon caled, 'roedd Jac a minnau wrth ein bodd. Erbyn hyn 'roedd y ddau ohonom wedi cael dechrau dysgu llywio hefyd.

'Roedd y criw i gyd yn glên a ffeind, yn cyd-fyw mewn cytgord perffaith, er yr holl gymysgedd. A chriw cymysg yng ngwir ystyr y gair oedd criw yr *Hadleigh*.

Sais o Sunderland oedd y Capten W. H. Gould; deuai'r mêt, Mr Owen o gyffiniau'r Ceinewydd; yr ail fêt oedd Mr David Williams o Abersoch a'r trydydd mêt, Mr Harvey o Lowestoft. Sais oedd y prif beiriannydd ac Albanwr, Rwsiad a Chymro oedd yr ail, y trydydd a'r pedwerydd peiriannydd.

Deuai'r stiward o Ddenmarc, y cabin boi o Gaerdydd, y dyn radio o Iwerddon, y cogyddion o India a Malta, un prentis o Gaerdydd ac un arall o Bournemouth ac o Malaya y deuai'r bosyn a'r chwe A.B.

Dyn du o Jamaica oedd y saer coed. Wedyn 'roedd yna naw o daniwrs, wyth yn ddynion duon ac un yn hanner-du. Y *donkeyman* oedd Ali o Aden, ac 'roedd Jac a minnau i gwblhau'r cyfrif.

Rhywbeth yn debyg oedd y bwyd ar bob llong fasnach yn y cyfnod hwnnw. 'Roeddem yn medru dygymod â'r biff a'r porc wedi'u halltu yn iawn — 'doedd y Moslemiaid ddim yn bwyta porc wrth gwrs — ond naw wfft i'r pysgod penfras a gawsem ar ddydd Gwener. Byddai wy a chig mochyn i frecwast ddydd Iau a dydd Sul, a chawsem damaid o gacen amser te hefyd 'run diwrnodiau. Dibynnai safon y bwyd i raddau helaeth ar allu ac ymroddiad y cogydd, debyg iawn. Onid oes hen air yn dweud fod 'Duw wedi anfon y bwyd, a'r diafol wedi anfon y cogyddion!'

'Roedd y bosyn yn gymeriad arbennig iawn. Pwtyn

bach byr fel finnau, rhyw bum troedfedd a dwy fodfedd; dyn eithriadol o gryf a medrus. 'Roedd ei wyneb yn dyllau bychain drosto fel pe bai wedi cael y frech wen rywdro. Heblaw ei fod yn fedrus fel morwr, yr oedd hefyd yn medru gwau yn gelfydd. Arferai wau ei ddillad isaf a'i sanau ei hunan. At hynny 'roedd yn gogydd heb ei ail, a chafodd Jac a minnau lawer pryd blasus o fwyd brodorol Malaya ganddo. Byddai'r gwŷr o Malaya yn eistedd ar y dec gyda'r nos yn y tywydd braf, Hadji Amat yn darllen y Koran iddynt a'r hen fosyn bach yn gwau.

Cawsai'r bosyn a'r chwech A.B. sbort efo Jac a minnau drwy wrthod siarad Saesneg efo ni. Mynnent 'ancow chacab Malawi', sef — 'siarad iaith Malay'. Ac yn wir yn ystod yr wyth mis y bûm yn cyd-fyw â hwy dysgais lawer o'r iaith. Credwn ar y dechrau fod ganddynt eiriau Cymraeg gan mor aml y clywid 'aur' a 'capal', ond dŵr yw aur a llong yw capal.

Cymerodd ddeuddeng niwrnod i symud y glo o'r howld; wedyn bu pawb yn golchi paent y llong efo dŵr a soda — neu swji mwji fel y'i gelwid. 'Roedd yr hen long fel newydd erbyn cyrraedd Panama.

Erbyn bore Gwener, 24 Chwefror, 'roeddem wedi angori ger camlas Panama. Cymerasai dair wythnos union i hwylio o'r Barri a chofiaf yn dda i Mr Williams ddweud wrthyf, ''Nest ti 'rioed feddwl fod yna gymaint o ddŵr yn naddo?' Clywswn lawer o sôn am Panama ers pan oeddwn yn ifanc iawn ac edrychwn ymlaen yn eiddgar am gael hwylio trwyddo.

'Roedd cwch bach wedi dod at y llong i werthu ffrwythau. Prynodd Jac a minnau goesyn o fananas bob un, gyda thua chant o fananas arno. A phrynais liain bwrdd yn anrheg i Mam. Mae o yma gennyf hyd heddiw.

Y dyn cyntaf o Ewrop i weld culdir Panama oedd Rodrigo de Bastidas yn 1501, ac aeth Christopher Columbus yno flwyddyn yn ddiweddarach gan hawlio'r lle yn enw Sbaen. Yna yn 1513 daeth tro Vasco Nunes de Balboa a chroesodd ef y tir i fod y dyn gwyn cyntaf i weld ochr ddwyreiniol y Môr Tawel. Yn 1879 y gwnaed yr ymgais gyntaf i agor camlas drwy'r culdir. Y peiriannydd oedd y Ffrancwr, Ferdinand de Lesseps, a oedd newydd gyflawni'r gampwaith o greu camlas Suez, ond methiant fu ei ymgais yn Panama.

Yn 1907 cafodd yr Americanwyr ganiatâd i geisio agor camlas yno. Bu tair blynedd o waith paratoi cyn dechrau adeiladu. Agorwyd y gamlas yn swyddogol ar Awst 15, 1914. Bu farw dros 25,000 o ddynion wrth y gwaith o'i adeiladu, y rhan fwyaf o'r dwymyn felen neu falaria.

Credaf mai rhyw wyth awr a gymerodd yr *Hadleigh* i hwylio trwy'r gamlas.

'Roedd digon o waith caled i'w gyflawni wedyn ar y daith i'r porthladd lle 'roeddem i ddechrau llwytho, sef lle o'r enw Longview yn nhalaith Washington. Cymerodd bythefnos union inni gyrraedd, ac 'roeddem yn gweld yr arfordir bron bob cam.

Erbyn hyn 'roedd Jac a minnau wedi dysgu llywio, a byddem yn cael gwneud hynny am ddwy awr bob yn ail wyliadwriaeth. Byddwn wrth fy modd ar wyliadwriaeth y nos, o 12 i 4, gan mai honno oedd gwyliadwriaeth Mr Williams. Dyna ddifyr fyddai cael sgwrsio yn Gymraeg.

'Roedd y pellter o'r Barri i Panama dros 4,500 milltir, ac ni welsom yr un llong ar ôl yr ail ddiwrnod wedi inni hwylio. Ond 'roedd pethau'n bur wahanol ar y daith o

Panama i Longview. Gwelem longau yn aml iawn yn awr a byddai Mr Williams yn siarad â hwy efo'r lamp morse. Cawn wybod enwau'r llongau ac i ble yr oeddynt yn mynd. Un noson, bu'n siarad yn hir iawn â rhywun, ac eglurodd imi mai Wil Cim oedd yno, sef y diweddar Capten William Evans a fagwyd yn Fferm y Cim, Bwlchtocyn. Y *Pacific Ranger* neu y *Pacific Reliance* oedd y llong, un o fflyd cwmni *Furness Withy*, ar ei thaith o Vancouver i Lerpwl.

'Roedd cryn waith clirio a glanhau yr howldiau ar gyfer llwytho grawn yn Longview. Gwaith arbennig o ddiflas; byddai grawn wedi pydru yn y gwaelod a gwaeth fyth, cyrff llygod mawr wedi troi'n jeli drewllyd.

Wedi inni gyrraedd aber afon Columbia daeth meddyg ar fwrdd y llong, a bu raid i bawb ohonom gael ein harchwilio ganddo gan gynnwys tynnu ein trowsusau rhag ofn fod achos o glwy gwenerol.

Cymerodd rai oriau o deithio wedyn cyn bwrw angor yn Longview. Bu prysurdeb mawr wrth godi'r derics — gwaith nad oeddwn wedi ei wneud o'r blaen. Wedi cael y llong yn ddiogel wrth y cei daeth cyflenwad o fwyd ffres inni, ac i swper y noson honno cawsom salad da gan gynnwys rhywbeth nad oeddwn wedi ei brofi o'r blaen, sef seleri. Ond y syndod mwyaf oedd gweld torth wedi ei thafellu'n barod.

'Roedd yn bur oer yn Longview a thipyn o eira o gwmpas. Felly fe dreuliasom gryn dipyn o amser yn y gali, Jac a minnau. Un o'n dyletswyddau oedd cadw'r tân ynghyn. Un gyda'r nos daeth dwy ddynes neis i'r llong ac i'r gali atom. Wrth glywed lleisiau merched daeth rhai o'r peirianwyr yno gan godi hwyl a bu Petersonoff, y

Rwsiad, yn garedig iawn yn mynd ag un o'r merched i ddangos ei gaban iddi. Toc daeth Mr Williams heibio efo mŵg i gael dŵr poeth i wneud coco ac eglurodd mai merched drwg iawn oedd y rhain ac y buasai yno gythraul o helynt pe gwyddai'r Capten eu bod ar fwrdd y llong. Dywedodd y buasai'n gorchymyn y trydydd mêt i wisgo ei iwnifform a dod yno i hel y ddwy i'r lan. Ac felly y bu.

Ar ôl dau ddiwrnod yn Longview hwyliasom i Vancouver i ddechrau llwytho coed ar ben y grawn. 'Roedd rhyfeddodau fyrdd i'w gweld yn y porthladd mawr, hardd hwnnw. 'Roedd pont fawr y Lion's Gate newydd ei chwblhau ac 'roedd y ddinas yn dechrau paratoi ar gyfer ymweliad y Brenin Siôr VI a'r Frenhines yn ystod mis Mehefin i agor y bont yn swyddogol.

Wedi tri diwrnod yn Vancouver hwyliasom i Fraser Mills, taith o ryw bum awr. Bryd hynny melin goed Fraser Mills oedd y fwyaf yn y byd. Ond y rhyfeddod mwyaf i mi oedd gweld y degau o filoedd o goed mawr praff yn nofio ar wyneb yr afon ar eu ffordd i'r felin i'w llifio. O Fraser Mills aethom i New Westminster ac ymhen deuddydd hwylio i Victoria ar Ynys Vancouver.

'Roedd yna *Seamen's Mission* yn hwylus yn ymyl y llong yn Victoria. ac 'roedd y dyn cloff a ofalai am y lle yn glên iawn. Cawsom ar ddeall fod ei frawd yn darllen y newyddion ar y radio yn Llundain. Stuart Hibberd oedd hwnnw, y gŵr a ddaeth yn brif gyflwynydd y BBC.

Ar ôl aros yn Victoria am dri diwrnod hwyliasom i le bach o'r enw Cowichan Bay i lwytho rhagor o goed. Tra oeddem yno cafodd y ddau brentis a Jac a minnau ddiwrnod i'w gofio. Daeth un o'r llwythwyr i lawr fore Sul yn ei gerbyd a mynd â ni am drip i mewn i'r wlad, lle gwelsom Indiaid Cochion go iawn. Rhyfeddod arall i ni.

Mynd wedyn o Cowichan Bay i le bach arall o'r enw Croften. 'Roedd y llong yn prysur lenwi erbyn hyn ac wedi dau ddiwrnod yno hwylio i Port Alberni i orffen llwytho. 'Roedd bellach tua deg troedfedd o uchder o goed ar y dec pan adawsom am Gaerdydd, Lerpwl a Birkenhead. Golygodd oriau o waith yn trafod cadwyni trymion i sicrhau'r llwyth ar y dec yn ddiogel.

Ymhen pythefnos dyna ni yn Panama unwaith eto. Erbyn hyn 'roedd tanwydd y llong yn isel a bu'n rhaid hwylio i Port Royal yn Jamaica, taith dau ddiwrnod a hanner, i geisio peth. 'Roeddwn wedi clywed llawer am Port Royal, pencadlys y môr-leidr o Gymro, Harri Morgan, ond 'roedd y dref fel y bodolai yn amser yr hen Harri wedi ei dinistrio mewn daeargryn oesoedd yn ôl. Yn Jamaica y gwelais wir dlodi am y tro cyntaf. Bu'n dipyn o sioc i weld plant bach yn eu dillad carpiog yn erfyn am fwyd.

'Roedd golwg ddifrifol ar y llong a phawb a phopeth ar ôl bod dan y tip glo, a bu gwaith glanhau am ddiwrnodiau cyn dechrau ei pheintio. Ond 'roedd yr hen long yn werth ei gweld drachefn pan gyrhaeddodd ddoc Alexandria yng Nghaerdydd ar y 6 Mai, 1939.

Yr unig atyniad i mi yng Nghaerdydd am y tro cyntaf oedd y llongau yn y dociau ac yn crwydro o long i long y bûm drwy'r pen-wythnos.

Daeth dau o Abersoch i'r llong i weld Mr Williams a chefais innau air â nhw yn sgil hynny. Y ddau oedd Dr Bob, sef Dr Williams Rockdale, meddyg ifanc yn y ddinas bryd hynny a Glyn Roberts, brawd-yng-nghyfraith i Mr

Williams. Hwyliai Glyn ar yr *SS Ruperra* efo llwyth o lo i Buenos Aires. Ychydig a feddyliais bryd hynny y buaswn yn hwylio efo fo ar y *Ruperra* ymhen rhyw wyth mis wedyn.

Ar ôl wythnos brysur yng Nghaerdydd troesom am Lerpwl ac i ddoc Hornby yn Bootle i orffen dadlwytho'r coed.

Gwelaf oddi wrth fy nghyfrif cyflog fy mod wedi codi £1 ar Mai 6, £1 arall ar Mai 13, a choron yn Lerpwl ar Mai 20. Rhaid cofio fod £1 yn gyflog wythnos i mi, gan mai £4 y mis oedd fy nghyflog a chwecheiniog yr awr o dâl am amser ychwanegol. Tair awr o oriau ychwanegol a dalwyd imi yn ystod y fordaith.

Wedi gorffen dadlwytho'r coed aed i Birkenhead i ddadlwytho'r grawn ac wedyn yn ôl i'r Barri gan fod yn rhaid i'r llong fynd i ddoc sych unwaith eto. 'Roedd rhywbeth o'i le ar y propelor. Cyrhaeddais innau adref fore Sadwrn — yn dipyn o gawr mae'n siŵr!

'Doeddwn i fawr o feddwl beth a'm disgwyliai pan ddychwelais i'r llong. 'Roedd Jac a minnau wedi gadael ein dillad a llawer o gêr dan glo yn ein cypyrddau. 'Roedd clo ar ddrws ein caban hefyd, ond 'roedd rhywun wedi torri i fewn a dwyn y cwbl o'n heiddo — hyd yn oed y Beibl a gefais gan Mam, a lluniau o 'Nhad a Mam, fy mrawd a'm chwiorydd.

Cawsom ein dau £1 yr un yn anrheg gan y Capten i'n helpu i brynu dillad newydd; cefais bunt arall gan David Williams, a phwysleisiodd y bosyn nad oedd angen i ni brynu *sea boots* — gan na fyddem eu hangen. Ond tric bach diniwed a charedig ganddo oedd hynny gan ei fod ef a'r A.B.'s wedi trefnu i brynu pâr bob un inni.

Mae dau beth yn arbennig yn aros yn y cof am ein

hymweliad â Lerpwl y tro cyntaf hwnnw. Yno yn y Forum yn Lime Street y gwelais ac y clywais organ sinema am y tro cyntaf erioed. Ac wrth hwylio o Lerpwl i'r Barri coffa da am amryw ohonom y tu allan i gaban Mr Holland, y prif beiriannydd yn gwrando ar sylwebaeth radio o'r bocsio o gae pêl-droed Anfield. 'Roedd bachgen o Lerpwl, sef Ernie Roderick, yn ymladd am bencampwriaeth y byd yn erbyn yr Americanwr croenddu, *'Homicide'* Henry Armstrong.

Ar ein hail fordaith i Ganada bu damwain ar y llong yn Port Alberni. Fel yr oeddem yn codi'r gangwe fawr drom ar ei hochr ar ôl inni sicrhau'r coed ar y dec fe lithrodd honno gan wasgu llaw Mya Saleh, un o'r A.B.'s. 'Roedd mewn poen difrifol ond 'doedd fawr o ddim y gallai neb ei wneud iddo. Cafodd weld doctor yn Panama yn ddiweddarach ond wnaeth hwnnw ddim ond rhoi ychwaneg o gadachau am ei friwiau. Ymhen tair wythnos, wedi inni gyrraedd Lerpwl, cafodd 'ei dalu i ffwrdd', a go brin y medrodd y peth bach clên weithio byth wedyn.

O Port Alberni hwyliem i Port Royal, Jamaica i lwytho glo tanwydd. 'Roeddem wrthi unwaith eto yn ystod y nos a bu cryn hwyl yn y bore wrth chwilio am *stowaways*. Cafwyd hyd i amryw ohonynt cyn hwylio.

Tua phedwar diwrnod wedi gadael Jamaica, 'roeddwn ar wyliadwriaeth efo Mr Williams pan basiodd llong enfawr ni. 'Roedd yn werth ei gweld, yn oleuadau i gyd, ac mewn ateb i Mr Williams rhoddodd ei henw: *SS Columbus*. Llong tua 30,000 tunnell, yn perthyn i'r Almaen oedd hi ond ni chyrhaeddodd yn ôl i'r Almaen gan i'w chriw ei suddo rhag i longau rhyfel Prydain ei chipio.

Naill ai ar 26 neu 27 Awst, 1939, 'roeddwn ar wyliadwriaeth efo Mr Williams gefn nos pan dderbyniodd y dyn radio neges frys. Galwodd ar Capten Gould a bu cryn drafod distaw yn yr ystafell siartiau. Pan oeddwn i'n mynd i lawr am ddau o'r gloch ar ôl llywio am ddwyawr cefais orchymyn i fynd rownd y llong a diffodd y lampau a oleuai'r deciau. 'Roedd cymylau duon rhyfel yn dechrau crynhoi.

Disgwyliem gyrraedd Lerpwl ar Medi 3, ond penderfynodd y Capten a'r prif beiriannydd alw am fwy o stêm, a chyflymu. Ymhen rhyw ddeuddydd wedyn cofiaf i'r Capten chwythu'r ffliwt a gysylltai ei ystafell â'r brij i holi sut 'roedd pethau yn mynd, a David Williams yn ei sicrhau fod yr hen long yn mynd *'like a scalded cat'.*

Wrth hwylio i mewn i Lerpwl gwelem y *barrage balloons* yn uchel uwchben y dociau. Daeth yn storm o fellt a tharanau a rhywbryd wedi hanner nos, piciais allan ar y dec i weld beth oedd yn digwydd. Cawsai rhai o'r balŵns eu taro gan fellt a disgynnent i'r llawr yn wenfflam.

Bore Sul oedd hi drannoeth. Rhywdro wedi un-ar-ddeg, gwaeddodd Mr Owen y mêt arnaf i mofyn potel o wisgi a dwy fflagon o gwrw iddo. Rhoes bunt imi a siars i fod yn ofalus rhag colli'r newid.

'Roedd llawer iawn yn yfed yn y dafarn y bore Sul hwnnw, a buan y sylweddolais beth oedd testun pob sgwrs. 'Roedd y rhyfel wedi dechrau. Prin fod fy nhraed yn cyffwrdd y ddaear wrth imi redeg yn ôl i'r llong. 'Doedd y newydd ddim wedi cyrraedd, ond daeth rhywun o'r lan yn fuan wedyn i gyhoeddi'n swyddogol, a chaed rhybudd nad oedd neb i adael gan fod pobl yn dod â mygydau nwy inni.

Enw'r dafarn y tu allan i ddoc Gladstone oedd Caradoc. Tybed ydi hi yno o hyd?

Daeth pobl y mygydau yn gynnar yn y pnawn. Safai pawb o'r criw tu allan i'r Salŵn tra dangosid inni sut i wisgo'r masgiau. Bu cryn hwyl wrth i'r Mêt roi cynnig arni, gan iddo fod yn drachtio o'r wisgi a'r cwrw. Nid oedd yn feddw ond teimlai'n chwareus. Gwelais y Capten yn troi draw i wenu.

Aeth y ddau brentis i'r lan yn ystod y pnawn a daethant yn ôl wedi prynu potel bach o Sweet Nell coctel am hanner coron. Ychydig iawn ohono a yfwyd cyn y gwelwyd ei effaith. Gwahoddwyd finnau i brofi'r Sweet Nell. 'Roeddwn yn rhy lwfr i wrthod a chymerais un diferyn bach, — a dyna'r tro cyntaf imi brofi diod feddwol erioed.

'Roedd gan Mr Holland gadair wiail yr arferai eistedd arni allan ar y dec. Lluchiodd Ronnie, un o'r prentisiaid, y gadair i ganol y doc. Gwelodd Eusop beth oedd yn digwydd a daeth i'n ceryddu — y fi yn arbennig. Cefais siars nad oeddwn i fynd i'r *focsle* os oeddwn wedi bod yn yfed. Chwarae teg i Eusop, fe aeth ar hyd y cei a chymerodd fenthyg math o gwch bach fflat a ddefnyddid i beintio llongau, a phadlodd allan i'r doc i adfer y gadair.

Gyda'r nos, aeth pedwar ohonom am dro i'r lan, pawb â'i fwgwd ar ei ysgwydd. 'Roedd Ronnie yn un da am daro sgwrs efo genod, ac yn fuan iawn 'roeddem yn dal pen rheswm â thair o rai bach clên. Cafwyd gwahoddiad i gartref un ohonynt a chawsom groeso cynnes gan ei rhieni. 'Roedd ei thad yn gyn-forwr ond bellach wedi colli ei iechyd. Yn Hertford Road, Bootle, y safai'r tŷ. Hwnnw oedd y tro cyntaf imi fod tu fewn i dŷ yn Lloegr.

'Roedd yn rhaid bod yn ôl ar y llong cyn iddi dywyllu

gan y disgwylid awyrennau yr Almaen yn ystod y nos.

Darllenai Hadji Amat y Koran i'r A.B.'s. Llithrais heibio iddynt yn ddistaw ac i fyny i'm gwely'n reit swat i ddisgwyl yr awyrennau. 'Roedd gen innau dipyn o waith gweddïo cyn mynd i gysgu y noson honno.

Cyn inni ddadlwytho torrodd Ronnie ei gytundeb â'r cwmni ac ymadawodd. 'Roedd ef â'i fryd ar ymuno â'r awyrlu. Gwnaeth hynny a chlywais iddo gael ei ladd yn gynnar yn 1940.

Am chwarter i wyth y nos Sul honno, Medi 3, 1939, fe suddwyd yr *SS Athenia* gan long danfor Almaenig U30. Taniodd Capten yr U30, Kapetan Leutenant Fritz Julius Lemp, arni yn ddirybudd a chollwyd 118 o fywydau.

Y pnawn Sul hwnnw 'roedd llong fawr o'r enw *Brisbane Star* yn ein hymyl yn noc Gladstone yn cael ei pheintio efo paent llwyd yn barod i fynd i'r môr. Fore Llun 'roeddem ni ar yr *Hadleigh* yn peintio'r corn yn goch a rhoi T wen (Tatems) arno, am fod y *Marine Superintendent* yn dod i fyny o Gaerdydd. Fore Mawrth 'roeddem yn ei pheintio'n llwyd.

Tua deg o'r gloch fore Mercher, Medi 6, tybiem fod cyrch awyr ar y dociau gan fod gynnau o gwmpas doc Gladstone a'r ochr arall i'r afon, ger New Brighton, yn tanio ar dair awyren. Mae'n dda na lwyddwyd i'w saethu gan mai awyrennau yr RAF oeddynt.

Ymhen deuddydd, ar y dydd Gwener, 8 Medi daeth y rhyfel yn fyw iawn i drigolion plwyf Llanengan pan glywyd am suddo'r *SS Winkleigh*, chwaer long yr *Hadleigh*. 'Roedd perthynas i mi, sef Oswald Griffith, Llainhenryd, y soniais amdano eisoes, yn aelod o'r criw. Suddwyd hi gan U48 ryw 300 milltir i'r de o Cape Clear, De

Iwerddon. Cafodd y criw gyfle i ddianc i'r cychod a chyn hir codwyd hwy gan yr *SS Statendam*, leinar o gwmni yr Holland-America Line, a chludwyd hwy i Efrog Newydd. Cawsant gryn groeso a llawer o sylw gan y cyfryngau yn Efrog Newydd gan mai nhw oedd y *survivors* cyntaf i lanio yn America. Wedi ychydig ddyddiau o foethusrwydd mewn gwesty daeth y criw yn ôl i Brydain ar yr *Aquitania* a daeth Oswald ag anrheg fach i Mam, sef bisged galed a gafodd gan gapten y llong danfor. Cadwodd Mam y fisged am flynyddoedd nes o'r diwedd iddi droi'n llwch.

Wedi dadlwytho'r coed yn Lerpwl hwyliasom i Avonmouth i ddadlwytho'r grawn. Cafodd pawb gynnig i arwyddo cytundeb newydd ar yr *Hadleigh*, ond golygai hynny na chawsai neb fynd adref gan fod y llong wedi ei hawlio gan y Weinyddiaeth Drafnidiaeth i gario nwyddau rhyfel o Brydain i Ffrainc.

Teimlwn fy mod wedi dysgu fy ngwaith yn ddigon da bellach i gael hwylio fel *Ordinary Seaman*. Golygai hynny gyflog o chwe phunt y mis yn lle pedair fel decboi. Ond nid oedd y cwmni yn fodlon, ysywaeth. Felly adref yr euthum gan adael yr *Hadleigh*, a fuasai'n gartref hapus iawn imi am wyth mis. Ond mae'n debyg mai'r rheswm pennaf am imi ddod adref oedd mewn ymateb i lythyrau taer fy Mam. Yn wir, cefais un llythyr yr un mor daer gan fy Nhad hefyd, yr unig lythyr a dderbyniais oddi wrtho erioed. Cawsai'r ffaith fod Oswald ar long a suddwyd a bod Griffith John, a oedd yn byw ym Mhenmaen-mawr, wedi boddi, gryn effaith ar fy rhieni.

Mi ddywedodd Mr David Williams wrthyf lawer gwaith y gwelwn gryn wahaniaeth wrth hwylio a chyd-fyw â morwyr gwynion. A gwir hynny—fel y caf sôn eto. Yr unig ffrae a welais ar yr *Hadleigh* oedd y ffrwgwd bach rhwng Eusop a Hadji Amat ynglŷn â'r bwcedaid o ddŵr poeth ac ni welais neb wedi meddwi, ar wahân i Mr Owen y Mêt a'r ddau brentis. A go brin y gellid dweud eu bod hwythau yn feddw iawn chwaith.

'Rwyf wedi meddwl llawer tybed beth fu hanes y criw hapus hwnnw. Ni welais yr un ohonynt byth wedyn — heblaw am Mr Williams, a gafodd fyw i oedran teg. Gwelais gofnodi marwolaeth Capten Gould yn y *Journal of Commerce*. 'Roedd hynny tua diwedd y pumdegau.

Llong o 5,222 tunnell oedd yr *Hadleigh*, wedi ei hadeiladu yn 1930 yn Haverton Hill on Tees. Suddwyd hi ger Oran, Algeria 16 Mawrth, 1943 gan U77, a chollwyd un o'r criw.

Wedi i mi gyrraedd adref fu Mam fawr o dro cyn dechrau ceisio fy mherswadio i 'roi'r gora' i'r hen fôr yna'. 'Roedd fy Nhad hefyd eisiau i mi chwilio am waith ar y lan am sbel. 'Gei di weld y bydd y rhyfel yma drosodd yn fuan,' meddai. Dyna gred llaweroedd ran hynny.

Dioddefai fy Nhad o *emphysemia* ac 'roedd yn amlwg fod ei iechyd wedi gwaethygu'n arw er pan welswn ef ddechrau haf. Efallai mai oherwydd hynny y cytunais i aros gartref 'am ryw fis'. Wedi hynny bu apelio taer arnaf i 'aros gartre dros y 'Dolig'. Ac felly y bu.

SS Ruperra

Ddechrau Ionawr 1940 'roedd y citbag a'r cês wedi eu pacio eto, ac erbyn hyn 'roedd gennyf *Discharge Book* rhif R184793, ac 'roeddwn yn aelod o Undeb y Morwyr.

Fy mwriad oedd mynd i Lerpwl i chwilio am long, a chrybwyllais hynny wrth Glyn Roberts, Hillcroft, Abersoch. 'Pam na ddoi di efo mi ar y *Ruperra*?' meddai yntau. 'Roedd honno ar y pryd yn noc Canada yn Lerpwl. Trefnais i fynd efo Glyn ar Ionawr 9 a chefais le fel *Ordinary Seaman* ar y *Ruperra* am gyflog o £6.10.0 y mis a £5 y mis o fonws rhyfel.

Roeddem i fod yn y *Shipping Office* yn Cornhill erbyn 10 o'r gloch fore trannoeth i arwyddo cytundeb.

Cysgodd Glyn a minnau y noson honno mewn tŷ gwely-a-brecwast ym Mount Pleasant heb fod nepell o westy'r Adelphi. Cofiaf mai dynes o'r enw Miss Rigby oedd y perchennog, dynes farfog a gwallt coch ganddi. 'Roeddem i lawr yn aros am ein brecwast am 7 o'r gloch fel y trefnwyd ond 'doedd dim golwg o Miss Rigby yn unman; cawr o ddyn trwm mewn tipyn o oed oedd yn coginio'r bacwn a'r wy inni, ond mae'n gywilydd imi gyfaddef yn fy henaint mai ei glywed yn rhechan wrth dafellu'r dorth ar gyfer y tôst sy'n aros fwyaf yn y cof!

Mae'r bathodyn bach arian 'MN' a gefais y bore hwnnw, 10 Ionawr, yn Cornhill yn dal yn fy meddiant.

'Roedd amodau byw ar y *Ruperra* yn wael iawn o'u cymharu â'r *Hadleigh*. Yn lle cabanau bach del i ddau

’roedd naw ohonom mewn un ystafell fawr flêr ar y *Ruperra* ac ’roedd y llong ei hun yn aflan. Trist oedd gweld pob llong bellach wedi eu peintio’n llwyd tywyll, ond wedyn ’roedd pawb yn dweud y buasai’r rhyfel drosodd yn fuan iawn.

Wedi inni fynd allan o’r doc i’r afon clywsom y byddem yn angori yno i aros confoi. Cofiaf yn dda iddi ddod yn niwl trwchus ac oherwydd hynny, dechreuwyd cadw gwyliadwriaethau. ’Roeddwn i ar wyliadwriaeth efo dau Wyddel o Ddulyn, un yn gawr mawr trwm o’r enw Bill Harris a’r llall, Finney Grey, yn ddyn ymhell yn ei bumdegau, dyn ysgafn, heini efo oes o brofiad ar y môr, gan gynnwys blynyddoedd ar longau hwyliau.

Oherwydd y niwl, roedd yn rhaid cael rhywun ar y *focsle head* i ganu’r gloch am ryw bum eiliad o bob munud, a chan fod y niwl mor ofnadwy o drwchus crogwyd trosol haearn ar y starn, ac ’roedd yn rhaid cael dyn yn y fan honno efo morthwyl i daro’r trosol i wneud cloch. Gan ein bod ni, y llongwyr a’r tanwyr, yn byw reit o dan y trosol, ’doedd fawr o obaith am winc o gwsg.

Aeth hogiau gwyliadwriaeth 4-8 y bore i alw ar y cogydd am chwech o’r gloch, a dyna pryd y canfuwyd nad oedd wedi hwylio efo ni. ’Roedd wedi cael nodyn blaen-dâl am £10 ac wedi ei newid efo *note cracker*, un o’r cyfnewidwyr arian a gymerai gomisiwn o ddau swllt yn y bunt fel rheol. ’Roedd o leiaf ddau *note cracker* yn Lerpwl yr adeg honno. Cofiaf enw un ohonynt, sef Collins a’i gyfeiriad yn Sweeting Street, stryd fach gul yn arwain o Castle Street. ’Roedd y llall ar lawr cyntaf un o’r adeiladau yn ymyl swyddfa Undeb y Morwyr.

Gyrrwyd gair i Gaerdydd am gogydd arall, ac ymunodd

hwnnw â ni drannoeth; dyn bychan fel finnau a'r creadur druan wedi'i eni yn fud a byddar.

'Roedd pump ohonom yn Gymry ymysg y criw. David Thomas Davies oedd enw'r Capten; ni chlywais mohono'n siarad Cymraeg o gwbl, ond 'roedd y pedwerydd peiriannydd yn Gymro Cymraeg o gyffiniau Aberystwyth. Cymro di-Gymraeg o'r Porth yn y Rhondda oedd y bosyn, ac 'roedd Glyn a minnau o Abersoch.

Cliriodd y niwl ar ôl tridiau ar yr afon ac fesul un cododd y llongau eu hangorion a hwylio'n araf tua bar Lerpwl, rhyw bedair milltir ar ddeg i ffwrdd. Wedi croesi'r bar bu'r confoi gryn amser yn ffurfio. Cawsai Capten pob llong gyfarwyddyd ble yn union 'roedd safle ei long yn y patrwm. Hwn oedd y tro cyntaf i mi fod mewn confoi, ac ychydig iawn o brofiad a gefais ohono gan iddi ddod yn eira trwm wedi i ni basio Caergybi, a welson ni ddim golwg o'r confoi ar ôl hynny.

Dynion gwynion oedd holl griw y *Ruperra*. Rhai o ynys Malta oedd y deuddeg taniwr a'r *trimmers*, a'r cwbl yn hogiau distaw iawn.

Cawsom dywydd mawr o'r cychwyn, a chan mai ychydig iawn o falast oedd ar y llong 'roedd bywyd yn ddigon anghysurus arni. Lluchiai Dafydd Jones ni i bob cyfeiriad, a gwaith anodd iawn oedd llywio.

Ymhen rhyw bedwar neu bum niwrnod wedi inni hwylio 'roeddwn ar fy ffordd i'r *monkey island* am hanner nos — dyna y gelwid y man uwchben y *wheelhouse*. 'Roeddwn i fod yno tan un i gadw lwcowt, ond ar fy ffordd bu bron imi faglu ar draws y pedwerydd peiriannydd. 'Roedd ar ei gwrcwd ar y dec a sigarét yn ei law. Eglurodd imi ei fod yn gweld sybmarîn ac yn rhoi arwydd iddi efo tân y sigarét. Credwn mai jôc oedd hyn, ond 'roedd yn dal yno pan awn yn ôl am un o'r gloch. Penderfynais fynd i ddweud wrth yr ail fêt, a oedd ar wyliadwriaeth yr adeg honno, a gyrrodd hwnnw fi i ddweud wrth y prif beiriannydd. Rhag manylu gormod — wedi cael *nervous breakdown* 'roedd y dyn, yr unig un a welais erioed ar long. Dan glo yn ei gaban y bu'r truan wedyn nes cyrraedd America.

Y nesaf i ddioddef oedd y cogydd mud a byddar. 'Roedd y tywydd wedi gwaethygu, ac wrth i'r llong rowlio fe hyrddiwyd y creadur ar draws y gali a thorrodd ei ddwy goes. Dan gyfarwyddyd y stiward clymwyd ei goesau mewn splints ond 'roedd gwaeth i ddod. Ymhen rhyw dridiau syrthiodd o'i wely wedyn a thorrodd ei fraich. Ddiwedd Ionawr oedd hyn.

Mae Ionawr 31, 1940 yn ddiwrnod a ddeil yn fyw yn fy nghof. Ni allwn ymlacio o gwbl — methu cysgu, methu aros yn fy ngwely, methu darllen na dim. Cofiaf y soniai Glyn lawer am Emlyn ei fab. 'Roedd Emlyn yn bedair oed y diwrnod hwnnw. Bu Maud, ei fam, farw ar ei enedigaeth a magwyd Emlyn yn annwyl iawn gan ei daid a'i nain a'i fodryb Mair.

Cyraeddasom Hampton Roads ar 11 Chwefror a chael gorchymyn i hwylio i Philadelphia. Profiad diddorol dros ben oedd hwylio i fyny afon fawr Delaware. Clywswn lawer o sôn am Philadelphia yn nhŷ Nain. 'Roedd un o feibion Crowrach Ucha, led cae o gartref fy Nain, ac un o'i chyfoedion, sef Robert Williams, yn weinidog parchus iawn yn Philadelphia. Yn 1924 y bu ei ymweliad olaf â Bwlchtocyn.

Wrth i ni nesu at Girard Point lle roeddem i lwytho

grawn daeth dau dynfad i'n tynnu at y cei, ac er syndod i mi, enw un ohonynt oedd Bryn Mawr. Ar y pryd, wyddwn i ddim o hanes y Crynwyr o Gymru a oedd wedi ymfudo i'r America rhag erledigaeth.

Wedi gorffen prysurdeb arferol diwrnod glanio edrychem ymlaen am bryd o gig ffres yn lle cig hallt, ond cyn imi gael eistedd i fwyta daeth y cabin boi i ddweud wrthyf fod y Capten eisiau fy ngweld.

Prysurais i'w gaban. Gwyddwn nad oeddwn wedi gwneud dim o'i le. Curais ar y drws a gwahoddwyd fi i mewn. 'Eistedd,' meddai'n garedig. 'Mae gen i newydd drwg i ti,' a darllenodd imi deligram a anfonwyd iddo gan berchnogion y llong yn dweud fod fy Nhad wedi marw ar 31 Ionawr, ac wedi ei gladdu ar 5 Chwefror. Sylweddolais yn syth beth oedd achos y teimladau annifyr a'r anesmwythyd a deimlais ar ddydd olaf Ionawr. Holodd y Capten fi am oed fy Mam, ac oed fy mrawd a'm dwy chwaer a oedd yn yr ysgol. Saith a deg a phymtheg oeddynt hwy a deunaw oeddwn innau. 'Wel,' meddai'r Capten, 'mi fydd dy fam yn dibynnu arnat ti am gymorth rwan. Bydd di yn hogyn da a mi gei di weld y daw popeth yn olreit.'

Dywedodd wrthyf am ysgrifennu llythyr at Mam ar ôl swper, a dod â fo iddo fo. Gofalai yntau y buasai yn cael ei bostio'n saff. Ysgrifennais lythyr at fy nghyfaill Ifan Parry, Trofa, hefyd ac mae'r llythyr a anfonodd Ifan ataf i yn fy meddiant o hyd. Fe'i cadwaf yn ofalus tra byddaf.

Erbyn i mi orffen y llythyrau 'roedd yr hogiau i gyd wedi mynd i'r lan. Euthum innau am dro ymhen sbel. 'Roedd hi'n ddychrynllyd o oer yno a cherddais yn ddibwrpas am ryw awr gan grio drwy'r adeg. Nos drannoeth mynnodd

Glyn a Mr Thomas, y bosyn, fy mod yn mynd i'r lan efo nhw. Aeth y tri ohonom i sinema, a chofiaf byth mai enw'r ffilm oedd *Allegeney Uprising.*

Dim ond rhyw bedwar diwrnod gymerodd hi i lwytho'r llong cyn symud i lwytho glo tanwydd. 'Roeddem i hwylio wedyn i Halifax, Nova Scotia i aros confoi i groesi'r Iwerydd yn ôl.

Rhywbeth a barodd gryn syndod i mi oedd gweld y fath arwyddion o dlodi yng nghyffiniau Girard Point. 'Roedd yno dreflan helaeth o gytiau sinc a choed a phobl wynion yn byw ynddynt. Holais pam hynny, ac un ateb a gefais oedd *'Oh, they are God-damned Polaks.'* Sylwais y tro olaf y bûm yn Philadelphia, yn 1950, fod yr hen gytiau yno o hyd.

Anfonwyd y cogydd druan i'r ysbyty y munud y cyraeddasom y cei, ac aed â'r peiriannydd o Aberystwyth i ysbyty meddwl hefyd. Ni chlywais ddim o'u hanes wedyn.

Pan ddaeth yn amser i hwylio am Halifax, canfuwyd fod chwech neu saith o'r tanwyr wedi dianc o'r llong. Felly bu'n rhaid aros am rai oriau i gael rhai yn eu lle. Mae'n siŵr gen i mai o ryw garchar yn rhywle y daethant. Americanwyr gwynion oeddynt a doedd yr un ohonynt wedi bod ar fwrdd llong erioed o'r blaen yn ôl y sôn.

Cawsom dywydd dychrynllyd ar y daith i Halifax a chyn gynted â bod y gangwe i lawr gadawodd y tanwyr a ymunodd â ni yn Philadelphia. 'Roeddynt wedi dychryn am eu bywydau ac yn gwrthod dod ddim cam pellach.

Caed tanwyr profiadol yn Halifax; daeth rhai ohonynt oddi ar long a oedd wedi'i suddo, ac 'roeddynt yn falch o gael cychwyn yn ôl i Brydain. Buom wrth angor yn

Bedford Basin — rhan o harbwr mawr Halifax — am dri neu bedwar diwrnod cyn hwylio oddi yno efo tua 30 o longau eraill i groesi'r Iwerydd.

'Roedd y glo a gafwyd yn Philadelphia o ansawdd sâl iawn, a thrwy gyfuniad o lo sâl a gwir angen am lanhau tiwbiau'r boileri methai'r hen long â dal ei thir efo'r confoi. At hynny daeth yn storm erchyll na welswn ddim byd tebyg iddi o'r blaen. Diflannodd y confoi o'r golwg; gwnaed cryn ddifrod i gychod y llong a daeth yn argyfwng pan graciodd y dec. Âi pethau o ddrwg i waeth. 'Roedd y môr a dorrai dros y llong yn arllwys drwy'r hollt yn ei dec i lawr i'r byncer glo, ac yn fuan iawn i'r *stokehold*. Bu'n rhaid gadael i'r tanau fynd i lawr yn y boileri ac yn y cyfamser 'roedd y saer a'r peirianwyr yn brwydro i osod trwch o ganfas dros yr hollt a rhoi *hatchboards* sbâr i'w dal i lawr. Wrth lwc, 'roedd stêm yn y *donkey boiler* a llwyddwyd drwy hynny i gadw'r pympiau i fynd, ac wedi sychu'r *stokehold* caed gwres yn y boileri a medru dychwelyd i Halifax.

Mae yna hen air sy'n dweud 'yr hwn ni ŵyr ddim, nid ofna ddim'; felly 'roedd hi efo mi. Mi arhosais i yn fy ngwely am y rhan fwyaf o'r amser yn ystod oriau'r argyfwng. Awn i fyny ar wyliadwriaeth, ond ar wahân i hynny gorweddwn yn fy ngwely yn darllen cylchgronau a gawswn yn Halifax, wrth olau lantarn baraffin. Daeth Glyn ataf a'm ceryddu am wneud y fath beth. Dylwn fod yn darllen fy Meibl a gweddïo, meddai ef. Ers inni hwylio o Lerpwl ni fu dim ffraeo a meddwi a chwffio o gwbl fel yr oeddwn wedi ofni, ond newidiodd pethau y noson gyntaf wrth y cei yn Halifax y tro hwn.

'Roedd yr hogiau i gyd ar y lan, a dim ond Finney Grey

a minnau yn y ffocsl. Tua deg o'r gloch daeth y saer coed yn ôl i'r llong yn lloerig feddw. 'Roedd ganddo gryn dwrw a photeleidiau o ddiod feddwol yn ei feddiant. Yn fuan wedyn daeth rhai o'r tanwyr o Malta yn ôl a dywedodd un ohonynt wrth y saer am fod yn ddistaw. Gwylltiodd hwnnw'n gandryll a dweud ei fod yn mynd i nôl ei fwyell ac y buasai yn eu lladd, bob un ohonynt. A thoc dychwelodd efo'i fwyell a dechrau malu'r drws i ddod atynt. 'Doedd gan Grey a minnau ddim gobaith i ddianc gan y buasai rhaid inni fynd heibio iddo. Felly, dyma roi meinciau a matresi yn erbyn y drws i geisio ei rwystro rhag dod i mewn. Ond diolch i'r drefn, daeth Thomas y bosyn o'r lan ac ildiodd y saer y fwyell iddo. Gyrrwyd am yr heddlu ac aed â'r saer i'r carchar am noson. 'Roedd yn iawn pan ddaeth yn ôl yn y bore!

'Roedd dau ddyn o'r lan yn cadw gwyliadwriaeth ar y llong tra oeddem wrth y cei. Byddwn wrth fy modd yn sgwrsio efo nhw a chael llawer o hanesion difyr am Halifax. 'Roedd un ohonynt yn llygad-dyst i'r digwyddiad ar 6 Rhagfyr, 1917 pan ddinistriwyd y rhan fwyaf o'r dref wedi i long Ffrengig o'r enw *Mont Blanc* a gariai ffrwydron fod mewn gwrthdrawiad â llong o Norwy o'r enw *Imo.* Gwelais hanes y digwyddiad wedyn yn rhifyn Ionawr 1988 o'r *Sea Breezes.* Lladdwyd dros 2,000 o bobl yn y ffrwydrad, anafwyd 9,000 a gadawyd 6,000 yn ddigartref.

Buom wrth angor yn Bedford Basin unwaith eto am dridiau yn disgwyl am gonfoi arall, ond pan hwyliasom am adref 'roedd yr hen long yn methu â chadw i fyny â'r confoi, a chollwyd golwg arnynt mewn eira trwm. Ond nid oedd troi yn ôl y tro hwn. Cyraeddasom harbwr Portland yn Dorset a chael *de gaussio* y llong yno, hynny yw, cael gwifrau o'i chwmpas fel amddiffyniad rhag effaith meins magnetig.

O Portland aethom i fyny'r Sianel ac angori yn y Downs i aros confoi am Leith yn yr Alban. Ond wedi rhai oriau methwyd â chadw i fyny â'r confoi yma eto. Clywais Capten Davies yn tyngu na fuasai byth wedyn yn cymryd *Macaroni stiffs* yn danwyr. Dywedid y byddai capteiniaid yn gweddïo am danwyr o Scotland Road, Lerpwl a glo stêm Cymru. 'Roedd y cyfuniad yna yn sicrhau fod y llong yn mynd fel milgi.

Ar 6 Ebrill y cyraeddasom Leith. 'Roedd cryn waith atgyweirio ar y llong ac 'roeddem i gael gwn 4.7 arni i ymladd llongau tanfor.

Mewn llai na hanner awr wedi i'r gweithwyr ddod i'r llong bu farw un ohonynt. Syrthiodd i lawr i'r byncer a oedd erbyn hynny yn wag.

Cawsom ein talu i ffwrdd ar Ebrill 11, dydd fy mhen-blwydd yn 19 oed. Gyrrodd y Capten amdanaf y bore hwnnw a dywedodd ei fod ef a Mr Jarvis, y mêt, wedi bod yn trafod fy nhâl. Eglurodd eu bod eu dau yn awyddus i mi gael arwyddo fel morwr. Golygai hynny y buaswn yn cael fy nghyfrif fel un o'r A.B.'s a chawn £6 y mis yn fwy o gyflog. Derbyniais ei gynnig yn ddibetrus a gwyddwn iddynt wneud hyn am mai fi oedd yr un a fyddai'n dod â chyflog i'r cartref bellach.

'Dos adre at dy fam a'r teulu,' meddai Capten Davies, 'a tyrd yn ôl bythefnos i ddydd Llun nesaf.'

Trafaeliodd Glyn a minnau adref drwy'r nos ar y trên o Gaeredin a chael bws tua saith y bore o Bwllheli. 'Roedd Mam wedi codi'n gynnar yn ôl ei harfer. Ni ddywedodd yr un ohonom air am sbel hir, dim ond crio'n ddistaw.

Sawl deng mil o forwyr erioed a gafodd brofiad cyffelyb, a degau o filoedd o'r Lluoedd Arfog.

Er mai dim ond 46 oedd Mam ar y pryd 'roedd wedi heneiddio'n ofnadwy er pan welswn hi ddechrau Ionawr. 'Roeddem yn byw yn Nhŷ Capel yr Annibynwyr yn Abersoch a chan ei bod yn wanwyn 'roedd yn ofynnol sbring-clinio'r capel. Dyna fûm yn ei wneud drwy gydol yr wythnos gyntaf; golchais y ffenestri bob un, tu fewn ac allan, yna tynnu'r lampau i lawr a'u glanhau. Wedyn bûm ar fy ngliniau yn sgwrio pob modfedd o'r llawr efo dŵr poeth a sebon meddal.

'Roeddwn i fod i drafaelio'n ôl i Leith i ailymuno â'r llong ar ddydd Llun, Ebrill 28, 1940. Wedi'r oedfa nos Sul euthum am dro efo'r hogiau — Ifan Trofa, Eric Gwynant ac amryw eraill. Pan gyrhaeddais adref tua hanner awr wedi naw cefais fraw ofnadwy. 'Roedd Hefina, fy chwaer ieuengaf, wedi ei tharo'n ddifrifol wael. 'Roedd David, fy mrawd, wedi mynd i Gadlan — yno yr oedd cyfnewidfa deliffon Abersoch yr adeg honno — ac 'roedd Mr a Mrs Griffith yn ffonio i bob cwr o Ben Llŷn i geisio cael gafael ar feddyg. Llwyddwyd i gael gafael ar Doctor R. H. Jones, Botwnnog; daeth acw tuag un-ar-ddeg ac arhosodd efo Mam a minnau tan tua dau o'r gloch y bore. Ni allai ddweud i sicrwydd beth oedd y mater arni, ond meddai: 'Mae hi'n gwella rwan, ac fe fydd yn iawn ymhen rhyw 12 awr.' Bûm ar fy nhraed drwy'r nos efo Mam. 'Roedd acw le digalon, a phenderfynais beidio â theithio yn ôl i Leith. Gyrrais deligram ben bore i Capten Davies i'r perwyl, a phostiais lythyr o eglurhad 'run pryd.

Hwyliodd y *Ruperra* rywdro yn ystod mis Mai. Gwn ei bod yng Nghasnewydd cyn diwedd Gorffennaf. 'Roedd ar ei ffordd yn ôl i Brydain ac yn un o 48 o longau oedd yn y confoi HX79.

'Doedd gen i ddim llun o'r *Ruperra,* ac yn dilyn llythyr o'm heiddo yn y *Sea Breezes* yn apelio am lun ohoni derbyniais y llythyr canlynol:

Dear Mr Roberts

In the March 1990 edition of Sea Breezes the interest you express in your old ships includes the Ruperra.

I was in the convoy on 19 October, 1940 in which the Ruperra sank.

The sky was lit up with two burning tankers, otherwise it would have been very dark.

I was on the Blairnevis, and in our attempts to zig-zag out of trouble the Blairnevis and Ruperra almost collided. The counter stern of the Ruperra seemed to swing over the deck of the Blairnevis as each ship took avoiding action. We were so close the two Captains were shouting at each other.

The Ruperra passed from our starboard side to off our port bow, and as we watched a shower of sparks seemed to erupt from over the engine room. The ship folded up and disappeared in a very short time.

I believe she was loaded with scrap iron, and survivors must have been very few.

At least a dozen ships sank that night. I am unlikely to ever forget the sinking of the Ruperra.

I trust this is of some interest to you.

Yours faithfully,

John Handford

Dim ond pedwar a achubwyd o griw y *Ruperra*. Cefais yr hanes ychydig yn ôl gan ddyn o'r Barri — Dick Payne. Un ar bymtheg oed oedd Dick y noson honno yn 1940.

Cwmni John Cory, Caerdydd oedd perchnogion y *Ruperra*, llong 4,548 tunnell, wedi ei hadeiladu yn 1925 gan gwmni Grays (Hartlepool).

Y sybmarîn a'i suddodd oedd U47 a Chapten honno oedd Gunter Prien, a adwaenid fel *The Bull of Scapa Flow*, gan mai fo oedd y Capten beiddgar a lwyddodd i sleifio i mewn ac allan i Scapa Flow a suddo *HMS Royal Oak* ar 14 Hydref 1939. Collwyd dros 900 o griw y *Royal Oak*.

'Rwyf wedi meddwl llawer ar hyd y blynyddoedd beth fuasai fy nhynged innau pe na chawsai Hefina ei tharo'n wael. Tybed a fuaswn wedi bod ymysg y pedwar a achubwyd pan suddwyd y *Ruperra*?

MV Athelempress

Arhosais gartref am bythefnos arall.

Ar y trên o Bwllheli i Birkenhead 'roedd pedwar neu bump o ddynion ifanc yn lifrai'r awyrlu ac un a wisgai fathodyn bach MN fel finnau. Holodd hwnnw o ble down ac i ble yr awn. Atebais innau mai o Abersoch, a'm bod yn mynd i chwilio am long yn Lerpwl. Robert William Smith oedd ei enw ef. 'Roedd wedi ei fagu yn Benar Isa, Abersoch ac 'roeddwn wedi clywed llawer o sôn amdano gan fy Nhad a Mam, ond heb erioed ei gyfarfod.

Eglurodd imi mai bosyn ar un o'r Athel Tankers oedd. 'Mi fydda i a'r mêt yn dewis criw fory,' meddai, a chynigiodd le i mi fel *Senior Ordinary Seaman*. Derbyniais y cynnig er nad oedd gennyf fawr o awydd hwylio ar dancer, mae'n rhaid imi gyfaddef. 'Roeddynt yn llongau arbennig o beryglus i hwylio arnynt adeg rhyfel; yn llongau drewllyd iawn a'u porthladdoedd, fel rheol, mewn llefydd anghysbell.

Daeth Robert Smith a minnau yn ffrindiau mawr mewn ychydig funudau. Ystyriwn ef fel dyn mewn tipyn o oed ond dim ond deugain oedd o. Buasai'n llongwr er pan oedd yn 14; 'roedd ar long ryfel ym mrwydr Jutland cyn bod yn 17. 'Roedd yn briod ac yn byw yn Nhudweiliog ac 'roedd ganddo bump o blant, sef Lena, Wil, Jane, Kate a Tomi, yr ieuengaf, yn dair oed.

Cysgais y noson honno yn y *Mission* lle 'roedd amryw o Gymry eraill. Un ohonynt oedd John Williams, Bryn

Deufor, Morfa Nefyn a oedd eisoes wedi cael gwaith ar yr *Athelempress*.

'Roedd yna le difyr iawn yn y *Mission* hwnnw — pur wahanol i'r un yn y Barri. Coron oedd pris gwely a brecwast. 'Roedd Bob Smith wedi gofyn am frecwast cynnar inni, ac 'roeddem ein tri, Bob, John a minnau, wrth y bwrdd pan ddywedodd y ddynes a oedd wedi ei goginio: *'Don't look now.'* Fe droes y tri ohonom, yn naturiol, a thipyn o sioc i mi oedd ei gweld yn newid ei phais, gan sefyll fan honno efo dim ond ei bra a'i nicyr amdani!

'Roeddwn wrth fy modd pan ddywedodd Mr Jackson, mêt yr *Empress,* fy mod am gael gwaith arni. 'Roedd yn llong dipyn mwy na'r *Hadleigh* a'r *Ruperra*, 5,241 tunnell. 'Roedd hefyd wedi ei hadeiladu yn arbennig i gario olew. Gwahaniaeth mawr arall i mi oedd lleoliad ein cartref fel petai. 'Roeddem yn byw ym mhen blaen y llong ar hon ac 'roedd ystafell y peiriannau yn y pen arall. Ymunem â hi yn y *wet basin* yn iard longau Camell Lairds. 'Roedd *HMS Prince of Wales* wrth y cei, a'r *Empress* yn gorwedd wrth ei hochr. Ymddangosai'r llong ryfel fawr honno mor gadarn wrth i ni ei throedio nes peri inni feddwl na fuasai neb na dim yn medru ei suddo. Ond fe'i suddwyd yn ddiseremoni gan y Siapaneaid ar 10 Rhagfyr 1941 oddi ar arfordir dwyrain Malaya.

Dynion gwynion oedd pawb ond un o griw yr *Empress*. Brodor o India'r Gorllewin oedd yr ail beiriannydd. 'Roeddem ni'r llongwyr yn byw mewn un ystafell fawr olau, ond y gwahaniaeth mwyaf — ac yn sicr y mwyaf derbyniol o gymharu â'r llongau blaenorol — oedd cael ein matresi a'n blancedi a'n cynfasau, ein llestri a'n cyllyll a'n ffyrc ac ati heb orfod chwilio amdanynt ein hunain.

Credaf mai dim ond am ddiwrnod y buom yn angori yn afon Mersi yn aros am gonfoi. Hwyliasom mewn tywydd braf, ac wrth basio Enlli 'doedd 'run ohonom yn meddwl yr âi pum mlynedd cyn y buasem yn cael hwylio heibio iddi wedyn. *Motor ship* oedd yr *Empress* a phrofiad newydd i mi oedd clywed y peiriannau'n popian.

'Doedd dim gwaith glanhau llwch glo a gwenith ar yr *Empress*, ond 'roedd yno waith llawer mwy annymunol, sef glanhau'r tanciau.

'Roedd peiriannau pwerus i'r *Empress*, ac ni chafwyd trafferth i ganlyn y confoi y tro hwn. Daeth llongau rhyfel i'n hebrwng am y tri diwrnod cyntaf; wedyn âi pawb i'w ffordd ei hun.

Cawsom wybod mai i Trinidad yr oeddem yn mynd, a chredaf mai tri diwrnod ar ddeg a gymerodd inni groesi.

Dyn blin, croes a chas oedd Mr Jackson, y mêt, ac un o'r dynion mwyaf rheglyd a welais erioed. Dyn hollol wahanol oedd Capten Wittup, un distaw a gadwai o'r golwg yn ei gaban bron drwy'r amser.

'Roedd y bwyd ar yr *Empress* yn llawer gwell nag ar yr *Hadleigh* a'r *Ruperra*, yn bennaf am fod y cogydd yn un arbennig o dda.

Wedi cyrraedd Port of Spain, prifddinas Trinidad, buom wrth y cei am tuag wythnos. George Boot, yr *Ordinary Seaman* arall, a fu ar wyliadwriaeth drwy'r nos am hanner cyntaf yr wythnos, a minnau am y gweddill.

Ychydig iawn o'r criw aeth i'r lan yno, am nad oedd gan neb fawr o bres. Dim ond cyflog wythnos oedd gennym, ac 'roedd pawb wedi trefnu fod y rhan fwyaf o'u cyflog yn cael ei yrru adre'n wythnosol o swyddfa perchnogion y llong.

'Roedd cloben o ddynes ddu fawr wedi cael caniatâd i aros ar y llong tra byddem wrth y cei. Gwerthai ffrwythau a chnau a rhyw fanion eraill; cysgai ar y dec wrth ei siop, a byddai'n cael ei bwyd gan y cogydd.

Y noson cyn inni symud o Port of Spain cefais orchymyn i alw pawb at ei gilydd am hanner awr wedi pump yn y bore. 'Run noson 'roedd rhai o'r irwyr wedi mynd i'r lan a phan glywais nhw'n dychwelyd 'roedd hi'n amlwg iddynt fod yn yfed. Penderfynais mai gwell i mi fyddai swatio o'r golwg a pheidio â dweud dim. Cawsai'r hogiau sbort garw am rywbeth wrth ddod ar fwrdd y llong.

Hwyliasom ben bore trannoeth ac ymhen rhyw hanner awr daeth eglurhad ar y miri mawr y noson cynt. 'Roedd yr hogiau wedi dod â mul bach i'r llong, ac wedi ei guddio yn y *Centre Castle* — reit o dan ystafelloedd y swyddogion. Bu raid mynd yn ôl at y cei i lanio'r mul a bu raid i minnau fynd i weld y Capten a fynnai gael gwybod sut y daeth neb â mul i'r llong — a minnau i fod ar wyliadwriaeth. Credwn y cawn fy logio a thrwy hynny golli cyflog diwrnod neu ddau, ond diolch iddo, dim ond cerydd a gair o rybudd a gefais. Hwyliasom i Bermuda i aros confoi. Credaf mai pum niwrnod a gymerodd i ni gyrraedd yno.

Gan nad oedd radio ar gyfer y criw ar y llong, nid oedd modd i ni gael newyddion yn rheolaidd ond pan oeddem yn Trinidad clywsom sut yr oedd pethau ar gyfandir Ewrop. 'Roedd lluoedd y Natsïaid wedi goresgyn y gwledydd o'r gorllewin i'r Almaen ond 'roedd byddin Prydain, o drugaredd, wedi llwyddo i ffoi. Dyma gyfnod pryderus iawn i bawb ar y llong ac ar bob llong arall hefyd

— lluoedd yr Almaen yn Ffrainc, a minnau yn ofni y buasent wedi croesi'r Sianel a goresgyn Prydain cyn inni gyrraedd yn ôl.

Pan oeddwn gartref yn y gwanwyn 'roeddwn wedi bod yn siarad â Miss Lisi Jones, Bay View, ac wedi cael gwybod fod ei brawd,sef Capten William Ifor Jones, yn fêt ar dancer o'r enw *Virgilia*, llong berthynol i gwmni *Gow, Harrison* o Glasgow. 'Roedd Capten Jones — neu Wil 'Rochr-draw fel y'i gelwid o yn Abersoch — yn un o gyfoedion ac yn ffrind i Bob Smith. Ymhen ychydig oriau wedi inni gyrraedd Bermuda hwyliodd y *Virgilia* yno hefyd ac angori'n ddigon agos i Capten Jones a Bob Smith gael gair bach wrth floeddio drwy fegaffôn.

Ymunasom â chonfoi a oedd wedi hwylio o Halifax, Nova Scotia. 'Roedd tua deugain o longau yn y confoi a chawsom dywydd braf i groesi'r Iwerydd. Nid oeddem yn cael ein hebrwng, ond daeth llongau rhyfel i'n gwarchod pan oeddem o fewn rhyw dridiau i gyrraedd afon Clyde yn yr Alban.

'Roedd Pat Cavanagh o Wicklow, John Williams a minnau ar wyliadwriaeth o bedwar tan wyth. 'Roeddwn i'n llywio o bedwar tan chwech, a thua hanner awr wedi pump gwelais long yn ein hymyl yn cael ei tharo gan dorpido. Dyna fy mhrofiad cyntaf i o drychineb felly.

Mae'n amlwg mai wedi tanio i gyfeiriad y confoi yn gyffredinol ac nid wedi anelu at unrhyw long benodol yr oedd y sybmarîn gan mai llong yn cario coed a drawyd. 'Roedd hi'n dal ar wyneb y dŵr tua dwyawr yn ddiweddarach pan hwyliasom o'r golwg.

Wedi i ni angori yn y Clyde clywsom y byddem yn mynd i'r doc sych yn Greenock ar ôl dadlwytho ac y byddem i gyd yn cael mynd adref am ychydig ddiwrnodiau.

Mae Ifan Trofa ac Eric Gwynant a minnau yn dal i gofio helfa o fecryll a gawsom un pnawn yn ystod y dyddiau hynny. Daliasom dros 300 o fecryll wrth bysgota ar y creigiau yn Nhrwyn yr Wylfa. 'Roedd y diweddar Tom Parry, Oakdale efo ni hefyd. Ef a dynnai'r mecryll oddi ar y bachau inni.

Daeth Bob Smith a Mrs Smith a'r ieuengaf o'r plant draw i Abersoch o Dudweiliog i edrych amdanom. Fel y cyfeiriais yn gynharach, tair oed oedd y bychan 'radeg honno. Pan ofynnais beth oedd ei enw torsythodd wrth gyhoeddi mai Tomi Jolj Smish oedd o.

Buan iawn y daeth yn amser i drafaelio'n ôl i Greenock, John Williams, Bob Smith a minnau yn mynd o orsaf Pwllheli efo'r *Mail* tua hanner awr wedi chwech y nos. 'Roedd Capten Wil Ifor Jones wedi bod gartref hefyd a theithiai yntau am Glasgow efo ni. Wedi i'r trên gychwyn cofiaf Capten Wil yn dweud, 'Wel, hogia, *we are on the right road, but going the wrong way.*'

Yn fuan ar ôl inni ailymuno â'r llong, cafwyd cyrch awyr ar Greenock a syrthiodd rhai bomiau yn weddol agos i'r *Empress*. Hwnnw oedd fy mhrofiad cyntaf o gyrch awyr.

Hwyliasom o'r Clyde ymhen rhyw dri diwrnod. Cawsom ein hebrwng am tua 500 milltir, yna pawb yn ei heglu hi ar ei liwt ei hun am ynys Curacao, a oedd bryd hynny dan faner yr Is-Almaen. Nid oedd olew yn naear yr ynys. Fe'i dygid yno o Venezuela mewn fflyd o danceri bach a elwid *The Mosquito Fleet*. Ni chafodd neb gyfle i fynd i'r lan yno ac yr oeddem ar ein taith yn ôl i Bermuda ar fyr dro.

Gwyddwn fod tri a adwaenwn yn dda o gyffiniau Abersoch yn hwylio ar un o longau *Tatem*, Caerdydd, yr *SS Filleigh*, sef Bob Marks Evans a oedd yn ail fêt arni, a'r brodyr John a Tom Williams o Gilan, a adnabyddid fel John a Tomi Ffêr am mai Fair View oedd enw eu cartref. Pan oeddem yn Bermuda y fordaith flaenorol, fel y cofiwch, daeth y *Virgilia* — llong Capten W Ifor Jones i angori yn ein hymyl, a'r tro yma daeth y *Filleigh* hithau.

Wedi hwylio unwaith eto i ymuno â chonfoi Halifax aeth pethau'n ddidramgwydd bron bob cam yn ôl i'r Clyde. Ond ar 17 Medi bu digwyddiad a'm dychrynodd yn arw. Tua hanner awr wedi tri pan oeddwn ar wyliadwriaeth i fyny yn y *monkey island* uwchben y *wheelhouse* clywais ergyd ysgytiol a gwelais long yn diflannu dan y don. Safai Mr Ferguson, ein hail fêt, yn fy ymyl. *'I don't think any one got off that one,'* meddai. 'Roedd Capten Wittup ar y brij a galwodd ar Mr Ferguson i ofyn a oedd ganddo syniad pa long oedd hi. Un o'r llongau a gychwynnodd o Bermuda, meddai Mr Ferguson. Credai mai'r *Filleigh* oedd hi. Arswydais wrth feddwl am yr hogiau wedi mynd i dragwyddoldeb mewn rhyw bedwar eiliad. Wyddwn i ddim sut y buaswn yn medru mynd i weld eu teuluoedd wedi cyrraedd adref. Gwelem fod un o'r llongau eraill wedi stopio ac wedi rhoi cwch i lawr i chwilio rhag ofn fod unrhyw un yn fyw yn y dŵr.

Credaf inni golli dwy long arall yn fuan wedi iddi dywyllu, ond nid wyf yn berffaith siŵr. 'Roedd hi bron yn amhosibl dweud y gwahaniaeth rhwng ffrwydrad torpido a ffrwydrad *depth charge*, yn enwedig wrth hwylio ar dancer.

Safle y llong a suddwyd y pnawn hwnnw oedd 58° 22' Gogledd 15° 42' Gorllewin. Tua deg o'r gloch y noson honno y suddwyd y *City of Benares*, llong a gariai blant i Canada. Fe gollwyd tua chant ohonynt. Safle honno pan suddwyd hi oedd 56° 43' Gogledd, 21° 15' Gorllewin. Gwelir felly ein bod yn bur agos iddi.

'Roeddem ni yn un o'r llongau cyntaf i angori yn y Clyde ar 20 Medi. Gwyliem y llongau eraill yn cyrraedd fesul un. Yn eu mysg, diolch byth, daeth y *Filleigh*. Cefais yr hanes gan Tom Williams pan gyfarfûm ag ef ymhen misoedd wedyn. Enw'r llong a welswn yn suddo oedd yr *SS Tregenna*, un o longau cwmni *Hain*, o St Ives. Y *Filleigh* oedd wedi stopio, ac 'roedd Tom a John Williams yn y cwch a roed i lawr i chwilio'r dyfroedd. Yn wyrthiol llwyddwyd i achub pedwar o griw y *Tregenna* ond boddwyd 33.

Deuthum i ddeall wedyn mai ar ei ffordd o Philadelphia i Gasgwent efo llwyth o 8,000 tunnell o ddur yr oedd hi. Byddai llongau efo llwyth o ddur neu haearn crai yn mynd i lawr fel cerrig, ysywaeth, ar ôl eu taro gan dorpido.

Rhif y confoi hwnnw oedd HX71 — HX yn dynodi iddo gychwyn o Halifax. Pan oedd y confoi a'n dilynai, sef HX72, yn y fan lle suddwyd y *Tregenna* fe ymosodwyd arno yntau a chollwyd deuddeg o longau, a llawer iawn o fywydau.

Y cyfnod o fis Mehefin hyd Tachwedd 1940 oedd un o gyfnodau gwaethaf y rhyfel o ran nifer o longau Prydeinig a suddwyd. Dyma'r cyfnod a elwid gan fechgyn llongau tanfor yr Almaen yn '*Die Gluckliche Zeit*', neu yn Gymraeg, 'yr amser hapus'. 'Roedd confois helaeth yn hwylio heb fawr iawn o longau rhyfel ar gael i'w hebrwng gan fod yn rhaid cadw'r rhan fwyaf o longau'r Llynges Frenhinol i warchod y Sianel. Ein confoi nesaf oedd yr anfarwol HX84.

Yn wahanol i'r arfer 'roedd *AMC (Armed Merchant Cruiser)* efo'r confoi yma. Er ei bod yn ddiwedd Hydref bron, cawsom dywydd eithaf ffafriol ac 'roedd popeth i'w weld yn mynd yn rhwydd. Ond gwyddem bellach fod pob confoi bron yn cael colledion pan ddeuent o fewn 500 milltir i gyrraedd adref.

Ar 5 Tachwedd 1940 buaswn yn llywio o hanner dydd tan ddau, ac 'roeddwn ar wyliadwriaeth yn y *monkey island* tua hanner awr wedi tri pan welais ysmotyn bach ar y gorwel ar yr ochr chwith. Cyhoeddais hynny i'r ail fêt, Mr Ferguson, a daeth yntau i fyny ataf efo'i deliscôp. Cadarnhaodd mai llong oedd yno. Galwodd ar Capten Wittup a daeth hwnnw hefyd i fyny i gael gweld drosto'i hun.

'Roedd Pat, John Williams a minnau yn gorffen am bedwar. Aethom i gael paned a phan ddychwelasom ar y dec ymhen sbel 'roedd yn amlwg fod rhywbeth yn cyniwair yn y gwynt. 'Roedd y Capten a'r swyddogion i gyd ar y brij a phob llong yn y confoi yn derbyn negeseuon gan yr AMC.

Fy ngwaith i fel llongwr ar ôl gwyliadwriaeth y pnawn fyddai mynd i'r gali reit ym mhen ôl y llong, tua phump o'r gloch, i nôl y swper. 'Roeddwn newydd ddychwelyd efo'r bwyd pan ganodd cloch yn gorchymyn i bawb fynd i'w *action station.*

Cofiaf yn dda beth oedd i swper y diwrnod hwnnw, sef porc, pys, tatws wedi eu stwnshio a chacen fach bob un.

Rhaid oedd gadael y bwyd, a phrysuro i fy *action station*

i,sef llywio'r llong. 'Roedd eraill yn prysuro i'w safleoedd hwythau i fod yn barod i ymladd tân, neu i ffurfio criw ar gyfer y gwn 4.7.

Mae ymateb dau o'r hogiau yn aros yn y cof. Wrth ruthro allan ar ei daith at y gwn cipiodd Mark Byrne rai o'r darnau porc gan gyhoeddi, *'If I'm going to hell, I'm not going on an empty stomach,'* ac ymateb Jack Duncan pan glywodd y gynnau yn tanio oedd mynd i'w wely gan ddweud ei fod o am farw *'in the bunk'*.

Cyn i mi gyrraedd y brij 'roedd yr AMC wedi troi ac yn hwylio i gyfeiriad y llong ryfel a ymosodai ar y confoi. Sylwais fod yr AMC eisoes wedi ei tharo, ac ar dân.

Y trefniant ar gyfer digwyddiad fel hwn oedd i longau'r confoi hwylio oddi wrth yr ymosodwr mor gyflym ac y medrent, a gollwng fflotiau mwg. Ychydig iawn o'r frwydr unochrog rhwng yr AMC a'r llong ryfel a welais i, ond gwyddwn beth a ddigwyddai wrth wrando ar y Capten a'r mêt yn sgwrsio. 'Roedd y dyn radio yn gweiddi bob hyn a hyn hefyd i ddweud beth a glywsai ar y radio.

'Roedd sŵn y tanio'n fyddarol. Taniai llongau'r confoi, yn ogystal â'r AMC ar y llong ryfel, ond i ddim pwrpas mewn gwirionedd, gan nad oedd ein magnelau yn cyrraedd ddim pellach na hanner ffordd at yr ymosodwr. Taniwyd chwe ergyd gan ein gwn ni, a gwrthododd y seithfed rhag cychwyn o'r baril. Bu'n rhaid i griw'r gwn ffoi am eu bywyd. Trannoeth y llwyddwyd i danio'r ergyd oedd ynddo efo rhaff a phlwc sydyn.

Wedi i'r llong ryfel suddo'r AMC dechreuodd danio magnelau sêr a droes y nos yn ddydd fel petai. Wedyn clywid ychwaneg o ergydion wrth iddi ymosod ar rai o longau'r confoi.

Tua hanner awr wedi naw cafwyd neges radio o'r *Beaverford* yn dweud 'Ein tro ni yw hi rwan. Pob hwyl, oddi wrth Gapten a chriw yr *SS Beaverford*.' 'Roedd hon yn cario llawer o ffrwydron ac yn fuan wedyn fe'i chwythwyd hi a phawb oedd arni yn yfflon. 'Roedd dros gant o ddynion ar ei bwrdd.

Mae'n amlwg i'r gelyn ffoi wedi hynny. 'Roedd hi wedi un-ar-ddeg cyn i Capten Wittup orchymyn 'dyletswyddau normal' a chefais innau ollwng y llywio ar ôl chwe awr.

Erbyn i mi gyrraedd y *Messroom* doedd yna 'run crystyn o fwyd i'w gael ac 'roeddwn bron â rhynnu ac yn bur lwglyd.

Âi Pat, John Williams a minnau ar wyliadwriaeth wedyn o hanner nos tan bedwar, ac mi gofiaf tra byddaf byw yr ymdrech a gefais i geisio cadw'n effro wrth lywio o ddau y bore hwnnw tan bedwar o'r gloch.

Cyraeddasom afon Clyde yn saff ar 9 Tachwedd. Ni wyddem ddim o hynt y llongau eraill. Yn wir ni chawsom yr hanes yn llawn am rai blynyddoedd ond bellach mae llawer wedi ei ysgrifennu am y digwyddiad hwnnw ar ddiwrnod Guto Ffowc 1940. Dyma grynodeb: 'roedd un o longau'r confoi, llong o wlad Pwyl o'r enw *Morska Wola* wedi torri i lawr, felly 37 o longau oedd yn y confoi am bump o'r gloch ar 5 Tachwedd. *HMS Jervis Bay* oedd yr AMC a'n gwarchodai, a gŵr o'r enw Edward Stephen Fogarty Fegen oedd ei Chapten. 'Roedd 254 o griw ar ei bwrdd a bu farw 189 ohonynt. Anafwyd Capten Fegen yn ddifrifol gan un o'r ergydion cyntaf i daro'r llong. Aeth y brij ar dân. Llwyddodd y Capten i ymlwybro'n glir o'r tân, fe ymddengys, ond lladdwyd ef yn fuan wedyn.

Y llong ryfel Almaenig oedd yr *Admiral Scheer*, un o'r

tair *pocket battleship* a feddai'r Almaen ar ddechrau'r rhyfel. Fe gofir i un ohonynt, y *Graf Spee*, gael ei dinistrio ym mrwydr afon Plate. Y llall oedd y *Deutchland*, ond newidiwyd ei henw ar orchymyn Hitler i *Lutzow.*

Hawliodd Lord Haw Haw ar y radio fod pob un o longau confoi HX84 wedi eu suddo. Mae dau reswm pam na ddigwyddodd hynny. Y rheswm cyntaf oedd i'r *Scheer* golli dros awr o amser yn teithio at y confoi. 'Roedd llong awyr fach a gariai'r *Scheer* wedi gweld y confoi, ac yn ei frys i gyrraedd yn ôl methodd y peilot â gweld llong oedd rhwng y *Scheer* a'r confoi. Y *Mopan*, perthynol i gwmni *Elders a Ffyffes* oedd hi. 'Roedd wedi pasio'r confoi dipyn wedi hanner dydd, ac wedi cael cynnig i ymuno â ni ond gwrthododd gan ei bod yn cario ffrwythau, ac ar frys. Suddwyd hi gan y *Scheer* a chymerwyd y criw yn garcharorion.

Erbyn i'r *Scheer* ddod yn ddigon agos i danio arnom 'roedd yn dechrau tywyllu. Taniwyd ar y *Jervis Bay* yn ddidrugaredd am 22 munud 20 eiliad a rhoddodd yr ychydig funudau yna gyfle i ni i ffoi i'r gwyll. Pump o longau'r confoi a suddwyd, sef *SS Maidan* (Cwmni *Brocklebank*); y *Trewellard* (*Hain* o St Ives); y *Beaverford* (*Canadian Pacific*); y *Kenbane Head* (*Headline*, Belfast); y *Fresno City* (*Reardon Smith*, Caerdydd).

Collwyd pawb oedd ar fwrdd y *Maidan* a'r *Beaverford* — cyfanswm o 168, a chynifer â 395 yn gyfan gwbl yn y frwydr. Enillodd Capten Fogarty Fegen y Groes Victoria.

Mae clod arbennig yn ddyledus i Gapten Sven Olander a chriw yr *SS Stureholm*, llong o Sweden a oedd, fel ninnau, wedi llwyddo i ddianc. Tua naw o'r gloch galwodd Capten Olander y criw ynghyd a gofyn a oeddynt yn barod i hwylio'n ôl i edrych a oedd rhai o griw y *Jervis Bay* yn y dŵr yn aros i gael eu hachub. Buont yn llwyddiannus, ac achubwyd 65 o'r hogiau.

Mae llawer wedi ei ysgrifennu am long arall a oedd yn y confoi hefyd, sef y tancer *San Demetrio*. Yn wir, gwnaed ffilm am orchest fawr ail swyddog a dyrnaid o griw y llong honno yn llwyddo i'w hwylio'n ôl i Brydain wedi i'r *Scheer* ymosod arni. 'Roedd wedi ei tharo gan amryw o ergydion ac 'roedd ar dân pan ddihangodd y criw i'r badau achub. Cafodd 23 a oedd yn un o'r cychod eu hachub gan y *Gloucester City* a'u glanio yn St John's, Newfoundland.

Yn ystod prynhawn drannoeth, 6 Tachwedd, gwelodd yr hogiau a oedd yn y cwch arall long heb fod nepell oddi wrthynt ac wedi nesáu ati darganfuwyd mai eu llong hwy eu hunain ydoedd. 'Roedd yn dal ar dân. Collwyd golwg arni yn ystod y nos ond gwelwyd hi wedyn yn y bore a phenderfynwyd hwylio ati a cheisio mynd ar ei bwrdd. Llwyddwyd i wneud hynny ond yn yr ymdrech fe gollwyd y cwch a bu'n rhaid aros ar y llong i ymladd y tanau. Llwyddwyd i'w diffodd, cychwynnwyd y peiriannau a chyrhaeddwyd afon Clyde yn ddihangol ymhen rhai dyddiau. Un o'r llongwyr y bu ganddo ran allweddol yn y digwyddiad oedd prentis o Forfa Nefyn, sef y diweddar annwyl John Lewis Jones, neu Capten Jack fel yr adnabyddid ef yn ddiweddarach, gŵr bonheddig diymhongar. Am ei ran yn achub ei long cafodd John L Jones oriawr aur a mil o bunnau gan yr *Eagle Oil Company*, perchnogion y llong.

Gwyrth yn wir oedd i gynifer ohonom gyrraedd porthladd o ystyried cynifer o longau a suddwyd yn y cyfnod o ddechrau Gorffennaf i ddiwedd Tachwedd.

Dyma nifer y llongau o Brydain yn unig a suddwyd yn y cyfnod yna — Gorffennaf: 64; Awst: 56; Medi: 62; Hydref: 63; Tachwedd: 61. Cyfanswm o 306.

A dyma rai o'r confois a ddioddefodd waethaf: HX73 a gollodd 12 tua 20 Medi 1940; HX79 a gollodd 13 ar 19 Hydref, 1940, a'r SC7 a gollodd 20 allan o 34 o longau ar 17, 18 a 19 Hydref, 1940.

Cofnodwyd hanes confoi SC7 yn fanwl mewn llyfr o'r enw *The Night of the U Boats*. Trist oedd darllen fan honno am Capten Ebenezer Williams o Sir Fôn, Capten yr *SS Fiscus* (Cwmni *Seagers*, Caerdydd). 'Roedd ef wedi bod mewn cyfarfod efo capteiniaid y llongau eraill a ffurfiai gonfoi SC7, yn paratoi i hwylio o Sydney, Cape Breton i Brydain. Wedi'r cyfarfod dymunodd yn dda i'r gweddill a dywedodd wrthynt: 'Mi wn na chyrhaedda i byth adre.' 'Roedd llwyth o ddur ar y *Fiscus*. Suddwyd hi ar 18 Hydref. Collwyd Capten Ebenezer Williams a phawb o'r criw.

Ar ôl dod adref y clywsom fod brawd John Williams, sef Capten Hugh Williams yn gapten ar yr *SS Lancaster Castle*, a bod honno wrth ein hymyl yn y confoi. Collodd Capten Hugh Williams ei fywyd ar 27 Mai 1942. Erbyn hynny 'roedd yn gapten ar yr *SS Lowther Castle* ac fe'i suddwyd hi mewn confoi i Rwsia.

Bu'r *Empress* wrth angor am rai dyddiau yn y Clyde cyn cael gorchymyn i hwylio wrthym ein hunain i Scapa Flow. Buom yn y lle diffaith hwnnw am o leiaf bythefnos yn dadlwytho fesul tipyn i danceri llai.

Daeth gwyntoedd cryfion pan oeddem yn Scapa a bu'n rhaid bwrw angor arall. Achosodd hynny anhawster mawr inni pan ddaeth yn amser hwylio gan fod y ddwy gadwyn wedi cordeddu am ei gilydd. John Williams gafodd y gwaith caletaf. Bu John mewn cadair bosyn uwchben y dŵr am tua dwy awr ynghanol storm o eira trwm. 'Roedd y gweddill ohonom ar y *focsle head* efo Bob Smith, y bosyn, y saer a Mr Jackson, y mêt. Siaradai John Williams a Bob Smith yn Gymraeg a chwynai'r mêt nad oedd yn deall beth oedd yn digwydd. 'Roedd Capten Wittup wedi cael mynd adref am wyliau, a Capten Irritt o Arklow yn Iwerddon oedd yn ei le. Pan ddaeth hwnnw atom ar y *focsle head*, cwynodd y mêt wrtho ef ond ychwanegodd y Capten at y sbort drwy ei ateb mewn Gwyddeleg.

Wedi cyrraedd afon Mersi yn hwyr y nos ar 10 Rhagfyr 1940 aethom ar ein hunion i iard *Camell Lairds* a chafodd pawb ohonom rybudd i glirio o'r llong erbyn hanner nos. Ni wn hyd heddiw paham. Aeth Bob Smith, John Williams a minnau â'r gêr i'w gadw yn stesion Woodside, gan y byddem yn mynd adref ar y trên oddi yno yn y bore.

Cymerasom dacsi wedyn i chwilio am lety gwely a brecwast. Wedi cynnig mewn amryw o lefydd yn aflwyddiannus, dywedodd y gyrrwr mai'r unig le tebygol fuasai'r Fox yn Market Street, ond rhybuddiodd ni na fuasai ef ei hun yn ystyried cysgu yn y fath le.

Ond, a ninnau'n flinedig a'r noson yn eithriadol o oer, derbyniasom le yn Fox. Gan fod y gwelyau yn ddrewllyd, a dweud y lleiaf, gorweddodd y tri ohonom ar y llawr drwy'r nos ac 'roeddem yn falch iawn o groesawu'r wawr drannoeth.

'Roeddem i gyd wedi bod ar fwrdd y llong o 30 Gorffennaf hyd 10 Rhagfyr, ac yn ystod y cyfnod yna y Capten oedd yr unig un a roes ei droed ar y lan.

Wedi'n gollyngdod, ymhyfrydaf na ddarfu i neb feddwi

a malu a chwffio, na churo hen bobl na dim felly fel y gwneir heddiw. Mae'n debyg ein bod i gyd mor ddiolchgar y cawsem gyfle i fynd adref i weld ein hanwyliaid wedi'r holl beryglon.

Yn fuan wedyn bu dau o'r hogiau yn anlwcus iawn. Aeth Mark Byrne a Pat Cavanagh adref i Wicklow i fwrw'r Nadolig. Yn Ionawr hwyliasant ar yr *Athelfoam* a suddwyd hi ar 15 Mawrth 1941 gan y *Scharnhost*. Cymerwyd hwy yn garcharorion rhyfel, ac yn yr Almaen y buont nes eu rhyddhau fis Mai 1945.

Ionawr 1941 — Hydref 1942
MV Catrine (Cwmni Morel, Caerdydd)

Ychydig iawn a gofiaf am yr amser a dreuliais gartref ar ôl gadael yr *Athelempress*. Mae'n debyg y bûm yn rhy brysur gan fod llawer i'w wneud tua'r Capel ac yn y tŷ o ran hynny. 'Roedd yn braf cael bod gartref dros y Nadolig.

Buasai 1940 yn flwyddyn i'w chofio; colli fy Nhad a gweld gwireddu geiriau Nain. Cyfanswm pensiwn Mam oedd £1.5.0. yr wythnos, sef chweugain drosti hi a choron bob un dros y tri oedd yn yr ysgol. Dim ond £1.18.0. yr wythnos oedd cyflog fy Nhad am weithio'n galed am 54 awr er ei fod yn dioddef o 'emphysemia' ers blynyddoedd. Wrth lwc 'roeddwn i yn ennill £5.16.3. y mis a £5 y mis ar ben hynny o fonws rhyfel; felly 'roeddem yn well allan na llawer o deuluoedd, a rhaid oedd diolch i Dduw fy mod yn fyw.

'Roedd fy hen gyfaill Tom Hookes, Arfryn, Abersoch wedi mynd i'r môr ym mis Mai 1940 ar long newydd sbon o'r enw *Catrine*, a'r Capten John Lewis Williams, Talafon, Abersoch yn feistr arni. Buasai'r *Catrine* ar fordaith i British Columbia ac wedi dychwelyd â llwyth o wenith a choed i Immingham, yna hwylio i Awstralia i lwytho gwenith. Erbyn 29 Rhagfyr 1940 'roedd ger bar Lerpwl pan drawodd fein. Gwnaed cryn ddifrod i'r llong, ond llwyddwyd i'w chael i ddŵr bas. Gwnaed mwy o ddifrod iddi drannoeth pan drawodd fein arall ger bwi Q1 yn y

Queens Channel wrth i'r tynfadau ddod â hi i fewn i Birkenhead. Llwyddwyd i'w thynnu i'r doc fodd bynnag a dadlwythwyd y rhan fwyaf o'r llwyth yn saff.

'Roeddwn i wedi bwriadu trafaelio i Lerpwl ddechrau'r ail wythnos yn Ionawr i chwilio am long. Pan soniais am hynny wrth Capten Williams, cynigiodd le imi yn A.B. ar y *Catrine.* Golygai hynny o leiaf £5 y mis yn fwy o gyflog nag a gawswn o'r blaen. 'Roeddwn yn falch o dderbyn y cynnig wrth gwrs ac 'roedd Mam yn falchach byth gan y buaswn yn saff yn Birkenhead am rai wythnosau tra byddai'r llong yn cael ei hatgyweirio ac 'roedd hi'n arbennig o falch fy mod yn cael mynd efo Capten Williams a Tom.

Ychydig iawn o griw oedd ar y llong yn ystod ei chyfnod yn y doc ac ychydig iawn o waith y gallem ei wneud. Ond disgwylid inni fod ar fwrdd y llong wedi iddi dywyllu rhag ofn cyrch awyr.

'Roedd Tom a minnau yn byw mewn caban moethus ynghanol y llong gan nad oedd modd twymo cabanau y morwyr yn y starn. Cofiaf yn dda ein bod ein dau wedi bod yn brysur yn golchi dillad gyda'r nos, 12 Mawrth 1941, pan gyhoeddodd y seiren tuag wyth o'r gloch fod perygl cyrch awyr. Yn fuan iawn daeth cawod o fomiau tân i lawr a buan iawn yr aeth 'pit-props' yr ochr arall i'r doc yn wenfflam. Daeth cawod arall o fomiau tân toc. Disgynnodd 22 ar fwrdd y *Catrine* ond llwyddodd Mr Eynon, y mêt, a Tom a minnau i ddelio â phob un ohonynt ac ni wnaed fawr o ddifrod i'r llong.

Safai'r tancer MV Elax wrth ein hochr heb neb arni. 'Roedd rhai bomiau tân wedi glanio ar ei bwrdd hithau a llwyddasom i ddelio â'r rheiny hefyd.

Yn fuan wedi'r bomiau tân daeth y bomiau mawr, a chyn pen dim 'roedd y *Vacuum Oil Works* wrth ein hymyl yn wenfflam, a bu'n darged gan sawl awyren yn ystod yr oriau dilynol. Wrth edrych ar yr olygfa o fwrdd y *Catrine* ymddangosai fel pe bai pob rhan o Birkenhead a Wallasey ar dân.

'Roedd dwy gyfnither i fy Nain yn byw yn 41 Newling Street, Birkenhead. Gwnaed difrod mawr i'w stryd fach nhw yn gynnar y noson honno, a bu raid i'r ddwy adael eu cartref ar frys. Bu'n dipyn o sioc i Mam, yn gynnar fore trannoeth, i ateb cnoc ar y drws a chanfod y ddwy hen fodryb yno, yn grynedig ac yn ddu gan barddu. 'Roeddynt bron yn 80 oed. Buont yn aros efo Mam yn Abersoch am bron i flwyddyn cyn dychwelyd i Benbedw.

'Roedd y bomio wedi tawelu tipyn erbyn tuag un o'r gloch y bore ac 'roedd Tom a minnau yn eistedd ar hats rhif 5 yn gwylio'r tanau pan glywsom awyren yn bur agos. Rhedasom nerth traed am ein caban, ac nid oeddem eiliad yn rhy fuan gan i fom daro'r union hats honno a mynd drwy'r twnnel a oedd am siafft y propelor. Ffrwydrodd gan achosi difrod mawr i starn y llong. Heb os, buasem ein dau yn gelain pe na baem wedi symud. Bu raid i Tom a minnau fynd i lawr i'r howld gyda Mr Eynon efo bwyell a lli a darnau o sachau ynghanol mwg a llwch i lenwi'r mân dyllau oedd yn gollwng dŵr i'r llong. Wedi i'r awdurdodau archwilio'r llong yn y bore gwelwyd fod llawer mwy o ddifrod arni nag yr oedd neb wedi ei dybio. Golygai hynny y byddem yn mynd yn ôl i gynffon y ciw i aros am ddoc sych.

Pan ddaeth y newydd hir-ddisgwyliedig ar 2 Mai, 'roedd y *Catrine* i fynd i ddoc sych yn Noc Brocklebank

— ond ar y munud diwethaf daeth gair y byddai'n rhaid aros tan drannoeth gan na fyddai'r *Europa* a oedd yn y doc sych hwnnw yn gadael am ddau lanw arall. Mae'n dda na chawsom symud gan i gyrch awyr gwaetha'r rhyfel ar Lerpwl ddigwydd yr adeg honno. Parhaodd y cyrch o'r trydydd hyd yr wythfed o Fai. Cafodd yr *Europa*, 10,244 tunnell — llong o Ddenmarc wedi ei meddiannu gan y Llynges Brydeinig — ei llwyr ddinistrio cyn gadael y doc sych.

Toc cafodd y *Catrine* le mewn doc sych yn Noc Langton a dechreuwyd ar y gwaith o'i thrwsio yn ddi-oed.

Gweithiai Humphrey Evans, Glandon, Abersoch i gwmni atgyweirio llongau yn Bootle. 'Roedd o a Sally wedi priodi yn Nhachwedd 1940 ac erbyn mis Mai 'roedd Humphrey wedi rhentu rhan o dŷ, sef 41 Beaconsfield Street, sydd gyferbyn â chapel enwog Princess Road. Trafaeliodd Sally i Lerpwl y diwrnod y dechreuodd y cyrch awyr wyth niwrnod. Ar Wener y Groglith 1941 cofiaf i Tom a Humphrey a minnau fynd i gêm bêl-droed yn Goodison Park.

'Roedd yn anodd crwydro o gwmpas Lerpwl yn dilyn y bomio mawr. Cefais gynnig beic ail-law gan Humphrey am £3. Euthum i'w nôl ar nos Sul ar ôl bod yn ceisio canu yn yr *Young Wales* yn Upper Parliament Street. Aeth popeth yn iawn nes cyrraedd Leece Street a chanfod nad oedd y brêcs yn dal. Awn yn rhy gyflym i neidio oddi arno ac mae'n dda mai nos Sul oedd hi heb unrhyw fath o drafnidiaeth bron ar y strydoedd. Ymlaen â mi fel roced i lawr Bold Street a Church Street a llwyddo i stopio yn Lord Street. Cerdded i lawr James Street wedyn a dechrau reidio ar hyd y Dock Road. Nid oeddwn wedi mynd mwy na rhyw hanner milltir pan stopiwyd fi gan blismon. Bu cryn holi ble cawswn y beic. Cymerodd fy enw ac enw'r llong er bod y ddau ar fy ngherdyn doc p'run bynnag a chefais rybudd nad oeddwn i reidio'r beic gan nad oedd gennyf olau arno. Cerddais nes oeddwn o'i olwg, ac yna dechrau reidio eto nes cefais fy stopio gan blismon arall. Mwy o holi yn awr a rhybudd llawer mwy chwyrn. Ac wedi i mi gyrraedd doc Langton bu raid i mi wneud datganiad llawn i'r heddlu yn y fan honno wedyn ynglŷn â'r beic. Dywedais yr hanes wrth Tom ac meddai yntau: 'Gwertha'r blydi thing.' A dyna'n union a wneuthum. Cafodd Tom gwsmer i'r beic ben bore trannoeth am £3. Rhoes y dyn chweugain yn ernes arno, neidiodd ar ei gefn i fynd adref i nôl y gweddill o'r arian, ac ni welwyd mohono fo na'r beic byth wedyn.

Gwelid llanast difrifol yn ardal y dociau yn Lerpwl yn dilyn y bomio mawr ddechrau mis Mai. 'Roedd 57 o longau wedi eu suddo yn y dociau a'r afon. Bu'r difrod mwyaf yn noc Huskinson fore Sul, 4 Mai, pan ffrwydrodd 300 tunnell o ffrwydron ar fwrdd yr *SS Malakand*, un o longau cwmni *Brocklebank*. Chwythwyd darnau ohoni bellter o ddwy filltir a mwy.

Cyfnod digon diflas oedd hwnnw yn y doc sych ac 'roedd pawb yn edrych ymlaen am gael gorffen atgyweirio'r llong a chael mynd i'r môr. Ond 'roedd yn ddechrau mis Medi cyn inni symud o'r doc.

Erbyn hyn 'roedd yn amlwg fod y *Catrine* yn cael ei haddasu i gario ffrwydron, fel y rhan fwyaf o longau yn y cyfnod hwnnw. Adeiladwyd ystafelloedd o goed rhwng y deciau a gosodwyd mwy o ynnau arni a bu amryw ohonom am rai dyddiau ar fwrdd yr *SS Eaglet* yn cael hyfforddiant sut i drin a thanio gynnau *Marlin* a *Hotchkiss.*

Bron bob nos Sul drwy'r haf byddwn yn mynd i oedfa gyda'r nos yng nghapel yr Annibynwyr, Park Road. Y diweddar Barch Hughson Jones oedd y Gweinidog. Wedi swper bach mewn caffi — selsig, wy a sglodion — byddem yn mynd i'r canu cynulleidfaol yn yr *Young Wales.*

Hugh John Jones o Lanaelhaearn fyddai'n arwain, a Miss Lena Thomas, 'Refail, Llanbedrog, sister yn Ysbyty Smithdown Road, yn cyfeilio. Priododd y ddau a buont yn hapus iawn. Bu Lena farw yn frawychus o sydyn rai blynyddoedd yn ôl. Mae Hugh wedi rhoi ymhell dros hanner can mlynedd o wasanaeth i Ganiadaeth y Cysegr yn Lerpwl ac mae'n dal i arwain y canu yn Eglwys Heathfield Road.

Ar 4 Medi 1941 yr ymunodd criw cyflawn â'r llong, ac yn eu mysg 'roedd un arall o Abersoch, sef John Wheldon Roberts, Ffarm y Rhandir.

Yn ystod y pythefnos flaenorol 'roeddem wedi cyfarfod John Jones o Lanbedrog a ddaethai i Lerpwl i chwilio am long. Cafodd gynnig lle ar y *Catrine* efo ni ond fe wrthododd gan fod ansicrwydd i ble yr oeddem yn hwylio ac am ba hyd y byddem oddi cartref. 'Roedd yn well ganddo chwilio am long yn gwneud tripiau byr. Cafodd John le yn fuan wedyn ar un o longau cwmni *Yeoward,* sef yr *Avoceta.* 'Roedd hi'n un o 25 o longau a ffurfiai gonfoi HG73 o Gibraltar i Brydain ar 17 Medi, 1941. Mae hanes trist y confoi hwnnw wedi ei groniclo mewn llyfr o'r enw *Convoy Commodore* gan Rear Admiral Kenelm Creighton, y Commodore a oedd yn gyfrifol am y confoi. Hwyliai ef ar fwrdd yr *Avoceta.*

Gwelwyd awyren Focke-Wulf Condor ar Fedi 21, a

chanlyniad hynny oedd fod 12 llong danfor o gwmpas y confoi erbyn Medi 25. Bu brwydro ffyrnig am dridiau rhwng y llongau rhyfel a hebryngai'r confoi a'r llongau tanfor. Suddwyd yr *Avoceta* ynghyd ag wyth arall. 'Roedd 128 o DP's *(Displaced Persons)* a 40 o griw ar ei bwrdd. Collwyd 140 o fywydau a thrist nodi bod John Jones o Lanbedrog yn un ohonynt. Mae cofeb iddo ar fur Capel y Wesleaid yn Llanbedrog.

Llwythwyd y *Catrine* â thua 1,500 tunnell yn Birkenhead — y rhan fwyaf ohono yn *soda ash*, a barn gwybodusion y llong oedd mai i'r India yr hwyliem.

Roeddem yn bedwar o Gymry Cymraeg yn ein caban ni, Tom Hookes, John Wheldon a minnau o Abersoch, a William Emrys Evans o Dalsarnau, ger Harlech. 'Roedd Tom yn hen ŵr 26 oed o'i gymharu â ni ein tri. Un-ar-hugain oedd John a Wil Evans, a minnau'n ugain.

Hwyliasom o Birkenhead i Barrow-in-Furness i lwytho'r gweddill o'r llwyth. 'Roedd Capten Williams a Mr Anderson, y mêt, a alwem yn Joe Beef, yn anfodlon ac yn anesmwyth iawn ynglŷn â'r ffordd yr oedd y llong yn cael ei llwytho. Cyfrifoldeb y mêt, yn bennaf, yw llwytho'r llong; rhaid cymryd gofal mawr y dosberthir y llwyth yn wastad yn yr howldiau er mwyn cael trim priodol ar y llong. Ond 'roedd pethau yn wahanol yn Barrow- in-Furness gan i STO *(Sea Transport Officer)* gael ei yrru yno i oruchwylio'r gwaith. Lt. Commander o'r Llynges Frenhinol oedd o, a buan y daeth yn amlwg na wyddai fawr ddim am lwytho llong fasnach ond mynnai gael ei ffordd ei hun er gwaethaf protestiadau Capten Williams a Mr Anderson.

Magnelau pum pwys ar hugain mewn bocsys metel

oedd ar ben y llwch soda. Yna llwythwyd loriau a *bren gun carriers* ar ben y rheiny wedyn. 'Roedd loriau a thanciau ysgafn rhwng y deciau, a llanwyd yr ystafelloedd arbennig a adeiladwyd yn Lerpwl efo meins tir a *gelignite.* Gorchuddiwyd y dec gan loriau mawr trymion.

Protestiai Capten Williams yn barhaus wrth yr awdurdodau ynglŷn â'r modd y llwythid y llong ond ni chymerid dim sylw ohono.

Da oedd cael hwylio o'r diwedd a chefnu ar hunllef y misoedd yn y dociau yn Lerpwl. Rhywdro cyn y wawr 'roeddem wedi ymuno â chonfoi yn anelu tua'r *North Channel.* Ymunodd llongau o'r Clyde â ni yn ystod y dydd, ac mae'n debyg erbyn hynny fod tua deugain ohonom yn cael ein hebrwng i Fôr Iwerydd. Ymhen pedwar diwrnod gadawodd y llongau rhyfel ni. Chwalodd y confoi, pawb i'w gyfeiriad ei hun, ac yn fuan wedi hynny dechreuodd pethau fynd o chwith. Cododd y gwynt i *'force nine gale with seas to match'* ac yn awr gwireddwyd ofnau Capten Williams. 'Roedd y llwyth wedi symud, diolch i'r STO yn Barrow. Aeth y mêt a'r bosyn a ninnau'r A.B.'s i lawr i'r howldiau i edrych a oedd unrhyw beth y gallem ei wneud ond 'roedd hi'n rhy beryg' i neb aros yno. Sglefriai'r tanciau ysgafn a'r *bren gun carriers* o ochr i ochr; gwnaed difrod i'r ystafelloedd coed lle 'roedd y miloedd o feins tir; cawsom fod ugeiniau, onid cannoedd, ohonynt yn rhydd hyd y dec neu wedi eu gwasgu fel crempogau dan olwynion y *bren gun carriers.* Gwasgarwyd y powdwr ohonynt yn garped ar y dec, ond o fawr drugaredd, 'roedd eu ffiwsys yn ddiogel mewn man arall yn yr howld. Pan ddaeth Capten Williams i lawr i weld beth yn union oedd y sefyllfa, dywedodd ar unwaith ei bod yn rhy beryg' i neb i aros yno. 'Doedd dim amdani wedyn ond gobeithio am well tywydd.

Ymhen rhyw wythnos wedi i'r tywydd liniaru fe'n heriwyd gan *County Class Cruiser* o'r Llynges Frenhinol. Daeth o fewn rhyw hanner milltir inni gan igam-ogamu mewn cylch o'n cwmpas a'i gynnau wedi eu hanelu arnom drwy'r amser. Pan atebwyd y sialens hwyliodd y *cruiser* o'r golwg ac aethom ninnau yn ein blaenau.

Er mawr syndod i ni'r criw, ymhen rhai diwrnodiau wedyn cawsom ein hunain yn cyrraedd harbwr Freetown yn Sierra Leone. Ymddengys fod Capten Williams wedi dweud wrth y *cruiser* am gyflwr peryglus y llwyth ac wedi derbyn cyngor i hwylio i Freetown i'w ddiogelu, gwaith a gyflawnwyd mewn ychydig ddyddiau cyn ailgychwyn am Cape Town.

Profiad a seriwyd ar fy nghof am byth yw gweld Cape Town am y tro cyntaf. Cyrraedd Table Bay tua deg o'r gloch y nos ac angori tan drannoeth i aros ein tro i fynd i'r doc i gael bwyd, dŵr ac olew tanwydd.

Bûm yn Cape Town bymtheg o weithiau ar ôl hynny, ac er imi gael gwefr bob tro wrth ymweld â'r lle 'roedd gweld y dref yn y nos a'r cannoedd o oleuadau ar y strydoedd ar lethrau'r mynydd yn un o'r golygfeydd mwyaf trawiadol a welais erioed. Fe'i gwerthfawrogwn yn fwy o bosibl am nad oeddwn wedi gweld fawr o oleuadau ers dros ddwy flynedd.

Cyn inni hwylio o Barrow gosodwyd dwy *depth charge* ar starn y *Catrine*, dan ofal Sam Swinson y *gun layer.* Rhoesai Sam orchudd o ganfas drostynt yn y tywydd poeth, rhywle tua hanner ffordd o Freetown. Pan dynnodd y gorchudd yn Cape Town sylwodd fod y powdwr wedi llifo o un ohonynt — y *welding* wedi agor — ac felly cadwyd y ddwy *depth-charge* yn wlyb ddydd a nos, a hysbyswyd yr awdurdodau yn Cape Town am eu cyflwr. Daeth arbenigwr i'w harchwilio a dyfarnwyd eu bod yn beryg' ac mai gorau po gyntaf cael gwared â nhw. Cafodd Capten Williams gyfarwyddyd ble yn union y dylid eu gollwng i'r dwfn — wedi tynnu'r pinnau ohonynt rhag iddynt ffrwydro. Ond er i Sam Swinson daeru iddo wneud hynny fe ffrwydrodd un ohonynt er braw i bawb, ac yn arbennig y rhai oedd yn cysgu ar y pryd.

Ymhen rhai diwrnodiau cawsom wybod mai i Basra yn Iraq yr oeddem yn mynd. 'Roedd yr holl gargo i'w ddadlwytho yno ac eithrio'r *soda ash*. Anfonid y defnyddiau rhyfel wedyn o Basra i Rwsia.

Wrth hwylio i fyny afon Shat El Arab o Gulfor Persia i Basra, 'roedd pob gwn ar y llong yn barod i danio gan nad oedd pethau wedi llawn dawelu yn y wlad ar ôl i Rachid Ali Al Gailani, yr arweinydd, gael ei ddiorseddu. Ofnid y byddai rhai o'i ddilynwyr yn llechu ar lan yr afon ac yn ymosod arnom. Cyn inni gyrraedd Basra 'roedd John Wheldon wedi dechrau cael poenau difrifol yn ei fol ac ar ôl inni lanio gyrrwyd ef i ysbyty gryn bellter o'r harbwr er mwyn iddo gael archwiliad iawn. Yn anffodus i John, ysbyty i ferched beichiog yn unig oedd. Ceisiodd ddianc oddi yno gefn nos, ond troi yn ôl fu ei hanes gan nad oedd dim ond anialwch tywodlyd, llychlyd rhyngddo a Basra. 'Roedd ar ben ei ddigon pan ddaeth yn ôl i'r llong ymhen rhyw dri diwrnod. Ei broblem feddygol oedd carreg yn ei bledren.

Cawsom lawer o hwyl diniwed y tro cyntaf inni fynd i'r lan yno. 'Roedd ar Tom eisiau prynu sebon. Gwelsom siop fach a'r perchennog yn eistedd yn y ffenestr fel petai, ac amrywiaeth o sebon yn rhes ar y silffoedd tu ôl iddo. '*Soap*,' meddai Tom gan ddangos ei arian. '*Soap*,' meddai'r siopwr wedyn yn ôl. '*Soap*,' meddai Tom wedyn yn uwch, a'r un ymateb a gafwyd eto gan y siopwr. Yn awr dyma Tom yn ei thrio hi yn Gymraeg: 'Sebon,' meddai. Gwenodd y siopwr ac estyn lwmp o sebon iddo ar ei union a ninnau'n rhyfeddu fod y dyn yn deall Cymraeg. Ni wyddai yr un ohonom bryd hynny mai sabwn yw sebon mewn sawl iaith.

Yn y porthladd âi'r dadlwytho rhagddo'n hwylus. 'Roedd hogiau'r gynnau yn cadw gwyliadwriaeth ym mhob howld, ond un bore daeth un ohonynt o howld rhif 3 yn wyn fel y galchen. Yno 'roedd y *gelignite* wedi ei bacio mewn bocsys pren, rai miloedd ohonynt, ac 'roedd yr Arabiaid wedi llwyddo i agor un bocs ac yn bwyta ei gynnwys! Ymhen rhyw awr 'roedd nifer o filwyr Gurkha i lawr pob howld, ac ni chaed unrhyw drafferth wedi hynny.

O Basra hwyliasom i Karachi, a chofiaf inni gyrraedd yno ar Ragfyr 7, 1941, y diwrnod yr ymosododd y Siapaneaid ar Pearl Harbour.

Ddiwrnod cyn i ni hwylio o Karachi am Marmagoa dioddefai'r pumed peiriannydd gan boenau mawr yn ei goluddion, ond llwyddodd i dwyllo'i gyd-beirianwyr rhag ofn iddynt yrru am feddyg, ac iddo yntau wedyn gael ei anfon i ysbyty a'i adael ar ôl yn Karachi. Gwaethygodd wrth yr awr wedi i ni hwylio ac 'roedd yn amlwg ei fod yn ddifrifol wael pan oeddem yn agos i Bombay. Gorchmynnodd Capten Williams i'r dyn radio wneud cais am ganiatâd i alw yn Bombay i roi'r claf ar y lan.

Gwrthodwyd y cais a cheryddwyd Capten Williams am dorri tawelwch radio.

Wrth i ni nesáu at Marmagoa ymddangosai'r peiriannydd ifanc fel pe bai'n gwella, ond bu farw fel yr oedd meddyg yn cyrraedd y llong. 'Doedd dim gobaith iddo ers diwrnodiau ran hynny, meddai'r meddyg — 'roedd ei bendics wedi byrstio. Dim ond un-ar-hugain oed oedd o, Williams wrth ei enw. 'Roedd ei gartref yn Litherland, Lerpwl ac ef oedd unig blentyn ei fam weddw.

'Roedd yn ofynnol yn ôl y gyfraith i'w gladdu o fewn pedair awr ar hugain. Ac felly y bu. Cychwynasom o'r llong tua hanner awr wedi saith y bore, pawb yn ei dro yn helpu i gario'r corff gan fod cryn bellter o'r llong i'r fynwent fach ar y bryn uwchlaw harbwr Marmagoa. Capten Williams a wasanaethodd ar lan y bedd; darllenodd rai adnodau o Lyfr Job. 'Dyn a aned o wraig sydd fyr o ddyddiau,' — ond yn Saesneg wrth gwrs.

'Roedd yn angladd anghyffredin iawn gan fod amryw o Almaenwyr wedi cyd-gerdded â ni o'r llong i'r fynwent, ac wedi ymuno yn barchus efo ni wrth y bedd.

Un o diriogaethau Portiwgal oedd Goa ac nid oedd Portiwgal yn ymladd yn y rhyfel. 'Roedd hi'n wlad niwtral. Felly 'roedd lloches i longau o'r Almaen yn ogystal â ninnau yn harbwr Marmagoa. 'Roedd tair llong fasnach o'r Almaen ac un o'r Eidal yn angori yn yr harbwr yr un adeg â ni.

Rhybuddiwyd ni i beidio â thrafod dim o fusnes y *Catrine* efo'r Almaenwyr gan ei bod yn hysbys mai swyddogaeth un o'r llongau Almaenig oedd casglu gwybodaeth am symudiadau llongau'r cynghreiriaid a chysylltu â'r awdurdodau yn yr Almaen ac â llongau tanfor. O fewn tri mis, ar Fawrth 9, 1942 bu ymosodiad beiddgar ar y llongau hyn a llwyr ddinistriwyd y pedair ohonynt. Mae hanes yr ymosodiad i'w gael mewn llyfr o'r enw *Boarding Party*. Gwnaed ffilm yn portreadu'r ymosodiad cyffrous hefyd. Fe'i gwelais dro'n ôl ar y teledu dan yr enw *Sea Wolves*.

Fe gofir am gysylltiad St Francis Xavier, cenhadwr o Sbaen, â Goa. 'Roedd St Francis yn un o'r saith *Jesuit* gwreiddiol. Bu farw yn 1506 yn 46 oed wedi llosgi dau ben y gannwyll wrth ennill dros 700,000 o eneidiau i Grist yn Sri Lanka, India a Siapan.

'Roeddem yn angori y tu allan i Allepey i fwrw Nadolig 1941. Dyna fy Nadolig cyntaf oddi cartref. Ni fu unrhyw fath o ddathlu gan fod pawb yn cofio am ein ffrind a adawsom yn y fynwent fach uwchben harbwr Marmagoa. Cefais lyfr o'r enw 'Kerala Gwlad y Palmwydd' yn 1931 am hel saith a chwech at y Genhadaeth Dramor. Mae'r llyfr ar y bwrdd yma rwan.

Cyfieithiad i'r Gymraeg ydyw gan J. Bodfan Anwyl, oedd yn byw yn Llangwnadl yn niwedd ei oes. Mae Allepey a Kerala a Travancore fwy na heb yr un ardal. Cyfeirir at Travancore, chwi gofiwch, yn yr hen ddeuawd enwog 'Lle Treigla'r Caferi'.

Gorffenasom lwytho'r llong yn Cochin, lle hynod o annymunol. Unwaith yn unig yr aethom i'r dref ond treuliasom lawer o amser ym mhwll nofio y Malabar Hotel ar y cyrion. Gwyliais raglen o Cochin ar *Wicker's World* dro'n ôl. Eisteddai yntau ger y pwll nofio lle buom ni bron i hanner can mlynedd ynghynt.

Hwyliasom o Cochin am Cape Town fore dydd Calan 1942. 'Roedd aderyn a elwir gan forwyr yn Shit Hawk ar y mast blaen. Credai Joe Beef fod presenoldeb yr aderyn yn siŵr o ddod â melltith i'r llong a'r criw i gyd. Estynnodd reiffl, ond er iddo danio sawl ergyd, methu â'i daro a wnaeth. Cafodd Tom gyfle efo'r gwn wedyn ac 'roedd yr aderyn druan yn gelain efo'r ergyd gyntaf. Ond yn anffodus aeth y fwled drwy'r haliard signals a'i thorri.

Ychydig ddyddiau cyn cyrraedd Cape Town 'roedd Joe Beef wedi sôn ei fod am inni lanhau'r tanciau i gael dŵr glân yn y Cape, gan fod hwnnw, meddai, yn well na dŵr Freetown. Ond am ryw reswm newidiodd ei feddwl.

Aethom i mewn i'r hen ddoc i gael olew tanwydd, bwyd a dŵr. Cofiaf yn dda ei bod yn hwyr yn y pnawn pan oedd y llong yn saff wrth y cei a phawb yn falch o ddeall y byddem yno tan tuag un-ar-ddeg fore trannoeth. 'Roedd pawb yn falch o gael treulio gyda'r nos ar y lan yn Cape Town — a bu pawb yn hogiau da. Tua phump o'r gloch fore drannoeth yr aeth pethau o chwith. 'Roedd y mêt wedi newid ei feddwl eto ynglŷn â glanhau'r tanciau ac wedi deffro Doug Jardine, y bosyn, a'i orchymyn i'n deffro ninnau, yr A.B.'s, a'n gyrru i sgwrio y B-tanc. Wedi i ni fod wrthi am ryw hanner awr daeth y bosyn atom a dweud: 'Tydi hyn yn gêm yn byd hogia, mae'r Queens yn agor am chwech bora 'ma — mi awn ni yno am beint.' John Wheldon oedd yr unig un â digon o asgwrn cefn ganddo i beidio â mynd i'r dafarn. 'Roedd y Queens yn llawn o forwyr cyn saith o'r gloch ac er bod un botel o gwrw Lion yn ddigon i mi teimlwn yn bur euog ac anesmwyth yn eu canol. 'Roedd yr yfwyr profiadol yn llyncu cwrw Lion ynghyd â gwydriadau bach o frandi arbennig Cape Town, y *Cape Smoke*.

Mae'n debyg ei bod rywdro rhwng wyth a naw pan ddaeth plismon i fewn a gofyn a oedd yno rywun o griw y *Catrine*. Atebwyd yn y nacaol. Pe buasai wedi gofyn am weld ein cerdyn doc buasai wedi cael hyd i bob un ohonom.

Penderfynais fynd am dro i'r dref. 'Roeddwn wedi prynu cap bach gwyn del yno ar y fordaith allan ac euthum i brynu un arall.

Pan ddychwelais i'r Queens 'roedd yr hogiau wedi diflannu. Meddyliais mai wedi mynd yn ôl i'r llong yr oeddynt, a phrysurais ar eu holau. Gwisgwn y cap bach gwyn ar ochr fy mhen, a phan ddeuthum o fewn hyd braich i'r Capten ysgyrnygodd arnaf a chyfarth: 'Ble 'rwyt ti wedi bod?' Trawodd y cap oddi ar fy mhen i ganol oel a sbwriel rhwng y llong a'r cei. Er mawr syndod i mi — y fi oedd y cyntaf o'r rebels i ddychwelyd!

'Roedd y dŵr a'r stôrs a'r olew tanwydd wedi eu llwytho a'r llong yn barod i hwylio a thua deg o'r hogiau ar grwydr yn rhywle yn Cape Town. Ar adeg o ryfel 'roedd hyn yn drosedd difrifol.

Dychwelodd tri neu bedwar ohonynt ymhen sbel, a chan fod y peilot ar y bwrdd a'r tynfadau wrth law yn barod, daeth gorchymyn gan y Capten ein bod yn symud y llong o'r doc i'r bae. Ar y gair, wele gar yr heddlu a phedwar o'r hogiau ynddo. Gadawai hynny dri ar ôl.

Eglurodd Capten Williams nad ef fyddai'n delio â'n hachos, ond Capten y porthladd. Byddai hwnnw'n gyrru adroddiad llawn i'r awdurdodau ym Mhrydain, ac y byddai'n ddrwg iawn arnom reit siŵr. Ymhen rhyw awr wedi inni angori yn y bae daeth cwch at y llong i ddanfon y tri phechadur arall. Daethai'r heddlu o hyd iddynt yn cysgu mewn mynwent!

Codwyd yr angor a hwyliwyd am Freetown. Gan mai fi oedd yr unig A.B. yn sobor bu'n rhaid imi fod wrth y llyw am oriau maith. 'Roedd Capten Williams ar y brij y rhan fwyaf o'r amser er mwyn i Joe Beef a'r trydydd swyddog gael gorffwys. Mae'n amlwg ei fod wedi penderfynu rhoi gwers imi — gwers a gofiwn ar hyd fy oes. Cerddai yn ara' deg o un ochr y brij i'r llall, ac wrth fy mhasio yn y *wheelhouse* 'roedd ganddo rywbeth i'w ddweud wrthyf bob tro, megis: ''Nes i 'rioed ddychmygu y baset ti yn gwneud tro mor sâl efo mi,' neu 'Hogyn wedi ei fagu yn yr Ysgol Sul, tyt, tyt, tyt.' Nid oedd wedi penderfynu p'run a fyddai yn ein logio ai peidio, meddai. Pe gwnâi, y gosb fel rheol fyddai colli cyflog diwrnod a £1 o ddirwy. 'Gyda lwc,' meddai, 'mi gaf i a John Wheldon fynd adref, ac mi gei di a Twm Hookes fynd i jêl Walton!'

Ar ôl galw yn Freetown, cyraeddasom Lerpwl yn ddiogel ar 6 Mawrth 1942. Wrth inni nesáu at y llifddor sydd yn arwain i ddoc Brunswick 'roedd tri heddwas yn sefyll ar y cei — clamp o ringyll a dau gwnstabl. Ai wedi dod i'n cymryd i'r ddalfa yr oeddynt? Crynai rhai ohonom yn ein 'sgidiau! O drugaredd fu dim sôn am yr helynt. Cawsom ein talu i ffwrdd drannoeth, ac 'roeddem yn hapus fel plant bach wrth fynd ar y trên am adref i Lŷn. 'Roeddwn i wedi addo ailymuno â'r llong ar gyfer y fordaith nesaf; 'roedd Tom Hookes â'i wyneb tua'r ysbyty i gael llawdriniaeth; 'doedd Wil Emrys ddim awydd mordaith arall arni ac 'roedd John Wheldon yn dod yn ôl fel ail stiward.

Dim ond dwy noson yr oeddwn wedi gysgu gartref ers 14 mis, ac 'roedd yn nefoedd ar y ddaear cael cysgu yn fy ystafell wely bach fy hun am wythnos cyn dychwelyd i Birkenhead i lwytho cargo llawer mwy dieflig na'r hyn a lwythwyd yn Barrow ym Medi 1941.

Arwyddwyd cytundeb newydd ar Fawrth 22, a hwylio mewn confoi ar Ebrill 1. Bu llawer jôc wyrdro am ein bod yn hwylio mewn llong yn cario llwyth o ffrwydron ar ddydd ffŵl Ebrill. Ond o ran hynny dyna a gariai'r rhan fwyaf o longau yn y dyddiau tywyll hynny.

Dathlwn fy mhen-blwydd yn un-ar-hugain ar Ebrill 11 a chan ei bod yn ddydd Sadwrn cawsai pawb lond gwniadur, fel petai, o rým *(Nelson's Blood)*. 'Roedd yr hogiau wedi canu 'pen-blwydd hapus' i mi, ac i'w gorffen hi mynnwyd fy mod yn yfed rým rhai o'r lleill, gyda'r canlyniad fy mod yn bur feddw. Mae'n dda na welodd Capten Williams mohonof.

'Roedd cogydd ac ail gogydd newydd ar y llong y fordaith yma a theimlwyd tipyn o golled ar ôl George yr hen gogydd. Ond byddai eisiau dyn dewr iawn i gwyno am safon y bwyd oherwydd 'roedd y cogydd newydd wedi bod yn reslar proffesiynol am flynyddoedd.

Tua hanner ffordd rhwng Cape Town a Bombay bu digwyddiad yr oeddwn yn falch iawn nad oedd gennyf unrhyw ran ynddo. 'Roeddwn yn llywio o chwech tan wyth gyda'r nos a Joe Beef ar wyliadwriaeth ar y brij pan glywais ef yn gweiddi fod tân i lawr yn un o'r hatsys. Canwyd y clychau i alw pawb i'w gorsafoedd tân. Sylweddolais yn syth beth oedd yn digwydd. Bu rhai o'r hogiau'n sôn ers tro y buasai'n werth ceisio mynd i fewn i hatsys 1 a 2 gan fod y docwyr yn Birkenhead wedi dweud fod yno siocled, bisgedi, sigarennau ac ati. Yr unig ffordd i fynd atynt oedd trwy hats arall yn y starn a chrafangio bob cam rhwng y deciau i'r pen blaen. Yr hyn a welodd Joe Beef fel tân oedd golau tors yn dod i fyny drwy'r fentiletors.

Daeth Capten Williams a'r swyddogion i'r brij ar amrantiad. Methai pawb â deall ble gebyst 'roedd yr hogiau heb ateb y clychau. Cymerodd tua deng munud iddynt gyrraedd y dec. Cawsant eu dal 'yn eu camwedd' yn y fan a'r lle. Bu andros o helynt wrth gwrs a siarsiwyd pawb pe digwyddai peth felly wedyn y carcharid hwy yn Bombay.

Cyraeddasom Bombay dair wythnos union ar ôl hwylio o Cape Town, un wythnos ar ddeg ar ôl gadael Birkenhead.

Wrth fynd i fewn i'r doc aethom heibio i dancer o'r enw *San Cirilio*, a oedd yn amlwg wedi cael torpido gan fod twll mawr yn ei hochr. 'Roedd John Wheldon yn rhydd i fynd i'r lan ac aeth i gael golwg ar y tancer. Daeth yn ôl â'i wynt yn ei ddwrn i ddweud fod Arvon Owen, Arlanfor, Abersoch arni, a bod eisiau inni fynd i'w weld wedi inni orffen ein diwrnod gwaith. A dyna lle y treuliasom y gyda'r nos honno. 'Roedd Arvon yn naturiol yn falch o gael y newyddion diweddaraf o Abersoch.

Ychydig iawn a soniodd Arvon am y torpido ond cawsom yr hanes yn llawn gan drydydd mêt y *Cirilio*. 'Roedd y llong ar ei ffordd o Gulfor Persia i Awstralia efo llwyth llawn o betrol awyrennau pan ymosodwyd arni ar 21 Mawrth, 1942 tua thri chan milltir o Ynys Sri Lanka. Claddodd y torpido i ochr y *Cirilio* ond yn wyrthiol ni ffrwydrodd y llong. Arvon oedd y dyn radio a llwyddodd

Uchod: Priodas fy Nhad a'm Mam yn Chwefror 1917. Gyda hwy mae Taid Crowrach, 'Dewyrth John, brawd Mam ac Anti Maggie, chwaer fy Nhad.

Chwith: David, fy mrawd, Hefina, Eluned ac Elizabeth, fy chwiorydd ynghyd â Rex, ci 'Dewyrth John yn 1937.

Cychwyr Abersoch tua 1935. Cefn, o'r chwith: Tommy Hookes, Arfryn; Ashcroft, Pwllheli; Winston Jones, Sorton Villa; John Jones, Bryn a Dafydd Owen, Bwlchtocyn. Blaen: Jac Ben Jones, Pwllheli; Bevan, Pwllheli; Rhys Ellis, Llanbedrog; Bob Owens, Bryngolau; Wright, Pwllheli a Staveley.

Tai Penlan yn Abersoch tua 1930.

ATHELEMPRESS
HAVANA.
CUBA.

De: Robert William Smith, Tudweiliog, bosyn yr *Athelempress*.

Chwith: Yr *MV Athelempress* a suddwyd ger Ynys St Lucia gan U162 yn Ebrill 1942. Collwyd tri bywyd.

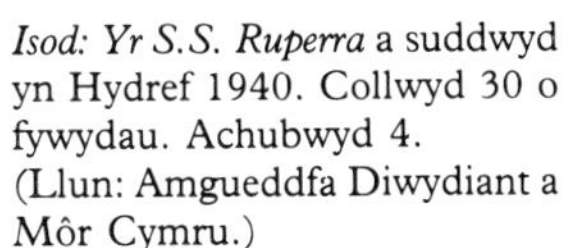

Isod: Yr S.S. Ruperra a suddwyd yn Hydref 1940. Collwyd 30 o fywydau. Achubwyd 4.
(Llun: Amgueddfa Diwydiant a Môr Cymru.)

Yr *SS Hadleigh* o Gaerdydd a suddwyd ym Mawrth 1943 gan U77. Collwyd un bywyd.
(Llun: Amgueddfa Diwydiant a Môr Cymru.)

MV Catrine. (Llun: Amgueddfa Diwydiant a Môr Cymru.)

Uchod: Yn Basra, Iraq yn Nhachwedd 1941. Cefn, o'r chwith: Tom Croft, Fleetwood; Ted Rigby, St Helens; Tom Hookes, Abersoch. Blaen: John Wheldon Roberts; William E Evans, Talsarnau; RJ Roberts.

Chwith: Capten John Lewis Williams, Talafon, Abersoch, capten y *Catrine*.

Uchod: Ar wyliadwriaeth ar y *Catrine* yn Hydref 1942 pan oedd dwy long danfor yn dilyn y confoi.

Chwith: Ar fwrdd y *Catrine* 1942.

Uchod: Gyda John Wheldon Roberts (ar y chwith) ar fwrdd y *Catrine* yn 1942.

Chwith: Yn un-ar-hugain oed yn 1942.

De: Hefina, fy chwaer, yn mynd â David, fy mrawd, am dro pan oedd yn yr ysbyty yn 1942.

Uchod: Edrych yn ôl o *crows nest* — *Aquitania* 1944.

Chwith: RMS Aquitania yr olaf o'r *four stackers.*

Yn was ym mhriodas fy chwaer Elizabeth a Robert Ivor Williams o Gaernarfon yn Awst 1944. Y forwyn yw Elisabeth Ellen Williams, chwaer Robert Ivor.

i anfon neges brys a chael ateb mewn llai na hanner munud. Daeth awyren atynt yn fuan wedyn i gadw golwg arnynt a llwyddwyd i gyrraedd harbwr Colombo yn ddiogel. Cafodd Arvon yr *Oak Leaf* am ei ddewrder.

Y noson honno pan ddaeth yn amser i John a minnau fynd yn ôl i'r *Catrine*, dywedodd Arvon: 'Hogia, mae'n rhaid i ni gael tropyn bach i ddathlu, ond dyma'r gorau fedra i wneud, mae gen i ofn.' A chawsom ein tri lasiad o *Eno's Fruit Salts*!

Un o'r llongau a hwyliodd yr un diwrnod â ni o Birkenhead oedd yr *SS Trader* (Cwmni *Harrisons*, Lerpwl) a daeth i'r un doc â ni ymhen dau neu dri diwrnod wedi inni gyrraedd Bombay. 'Roedd yn rhaid ymweld â hi gan fod ei hail fêt yn perthyn i John. Dyma'r tro cyntaf imi gyfarfod â'r Capten WE Williams o Gricieth. Cawsom gyda'r nos ddifyr yn ei gwmni ef a'r mêt, sef Mr Lewis Jones o Fethesda.

'Doedd gan neb o'r hogiau fawr ddim i'w ddweud wrth Bombay ac 'roedd pawb ohonom yn ddigon balch o gael hwylio oddi yno i Karachi. Ymhen deuddydd wedi inni gyrraedd daeth yr hen *Trader* i ymuno â ni unwaith eto. Derbyniwyd sialens i chwarae gêm bêl-droed yn erbyn ei chriw ar glwt o dir gwastad, tywodlyd heb fod nepell o'r cei.

Ystyriem fod gennym eithaf tîm. 'Roedd y Rhingyll Sanderson, pennaeth y milwyr a ofalai am ein gynnau, wedi chwarae i Grimsby Town ac 'roedd Jobling, un o'r peirianwyr, wedi bod ar lyfrau Sunderland.

Ar ganol y gêm daeth tuag ugain o Americanwyr hanner-meddw heibio a mynnu ein bod yn ymladd â hwy. Bu brwydr ffyrnig, ond 'doedd gan yr Americanwyr ddim gobaith yn erbyn ein hogiau ni — y rhan fwyaf ohonynt o gyffiniau Lerpwl, ac wedi dysgu cwffio cyn cerdded bron. Dywedid yn Lerpwl ers talwm fod dynion Scotland Road mor galed fel mai pinnau bawd a ddefnyddient i ddal eu sanau a phan fyddai eisiau torri cneuen Brasil fe'i rhoddent yn eu llygaid a wincio.

Hwyliasom o Karachi rownd i Fae Bengal ac i borthladd o'r enw Vizagapatam. Soniais fy mod wedi gweld plant yn begera am fwyd yn Jamaica pan oeddwn ar yr *Hadleigh* ond yn Vizagapatam y deuthum i wybod gwir ystyr y tair tlodi. Mae arswyd y dioddefaint a welais yn Vizagapatam yng Ngorffennaf 1942 wedi aros efo mi ar hyd fy oes. Profiad ysgytwol i bob un ohonom oedd gweld plant bach ar y cei yn llwgu. Nid oedd angen geiriau i gyfleu yr hyn oedd yn eu llygaid. Penderfynasom fwyta cyn lleied ag a fedrem a rhoi'r gweddill i'r plant.

Wedi llwytho manganîs crai yn Vizagapatam a chistiau o de wedyn yn Madras, hwyliasom i Colombo yn Sri Lanka, sydd yn dref llawer glanach na threfi'r India.

Aeth John a minnau i'r lan yno. Wrth gerdded o gwmpas clywsom gôr meibion yn canu 'Myfanwy' a meddwl mai milwyr o Gymru oedd yno. Ond gwelsom toc mai o sinema awyr-agored y deuai'r canu. Y ffilm oedd *'How green was my valley'* ac aeth John a minnau i'w gweld ddwy noson yn olynol.

Oherwydd i Mr Roy, y trydydd mêt, fwyta rhywbeth yn Colombo a achosodd ddolur rhydd iddo, aeth yn rhy wan i weithio am sbel a Chapten Williams a fyddai ar y brij yn ei le. Mae gennyf atgofion melys am yr oriau y byddwn wrth y llyw ar wyliadwriaethau 8-12 a chael sgwrsio difyr ac addysgiadol efo fo.

Un bore pan oeddem yn agosáu at Benrhyn Gobaith Da sylwais fod Capten Williams yn syllu'n hir ar ddarn o'r arfordir. Daeth ataf ac meddai: 'Mi lywia i am funud.' A chan roi'r sbenglas yn fy llaw perodd imi edrych ar fan arbennig. Gofynnodd imi wedyn a wyddwn hanes suddo *HMS Birkenhead* ac am gysylltiad y llong ag Abersoch. Bu'n rhaid imi gydnabod na wyddwn i ddim. Ond dyma'r stori:

'Roedd *HMS Birkenhead* ar ei thaith o Brydain i Dde Affrica, ac wedi cyrraedd Simons Bay ar 23 Chwefror, 1852 gyda 638 o bersonau ar ei bwrdd. Ymhen deuddydd drylliwyd hi ar graig ddwy filltir o Danger Point ac ni achubwyd ond cwta ddau gant o fywydau. 'Roedd i'r llong gysylltiad ag Abersoch gan fod Ensign Lucas y cyfeirir ato yng ngherdd Rudyard Kipling *'Birkenhead Drill'* yn byw yn 'yr Aber', yn aelod o deulu adnabyddus Lucas, Nhdlu Mhlope. Dyna enw eu cartref yn Abersoch hyd ryw 35 mlynedd yn ôl. Adwaenir y tŷ heddiw fel y *White House Hotel.* Mae Ensign Lucas wedi ei gladdu ym mynwent Llangïan, ac ar ei garreg fedd nodir fod *'Capt Gould Arthur Lucas a survivor of the troopship Birkenhead wrecked off Danger Point 1852'.* Bu farw Mai 18, 1914 yn 82 oed. Cofiaf ei wraig, Emily Lucas, 1862-1951, yn dda. Bu farw ei merch hi, sef Mrs Hybert, yn gymharol ddiweddar ac mae Ruby, merch Mrs Hybert, yn fyw o hyd yn rhywle tua Llundain.

Cofir gydag edmygedd am y cannoedd o filwyr yn sefyll yn rhengoedd llonydd a disgybledig ar fwrdd y *Birkenhead* wrth iddi suddo er mwyn i'r gwragedd a'r plant gael cyfle i fynd i'r cychod i'w hachub.

Dyma bwt o gerdd Rudyard Kipling i'r digwyddiad.

To take your choice in the thick of a rush, with firing all about
Is nothing so bad when you've cover to and liking to shout,
But to stand and be still to the Birkenhead Drill is a damn tough
bullet to chew,
And they done it, the Jollies — 'er Majesty's Jollies — and soldier
and sailor too!'

Ymhen rhyw ddeng niwrnod ar ôl inni hwylio o Cape Town fe synnwyd pawb ohonom pan newidiwyd cwrs y llong tua 50°, a hynny am un o'r gloch y bore. Cawsom fwy o syndod fyth gweld ein bod yn agosáu at ynys fawr, fel yr oedd hi'n gwawrio. Ynys Ascension oedd hi. Daeth dwy long arall yno i angori yn ein hymyl ymhen ychydig oriau. Buom yno, y tair ohonom, am dri neu bedwar diwrnod cyn hwylio am Freetown a *corvette* yn ein hebrwng. Dim ond Capten Williams a'r swyddogion a wyddai pam yr oeddem wedi mynd i'r ynys. Mentrais ofyn iddo rai blynyddoedd yn ddiweddarach ond yr unig sylw a wnaeth oedd hyn: 'Cael a chael fu hi'r noson honno.'

Ond credaf fy mod yn gwybod y rheswm erbyn hyn. Cafodd *SS Laconia,* un o longau cwmni *Cunard,* ei suddo ar Medi 12, 1942 yn safle 05° 05' De 11° 38' Gorllewin sydd yn agos iawn at Ynys Ascension. 'Roedd 3,251 o fywydau ar ei bwrdd, dros 1,600 ohonynt yn garcharorion Eidalaidd. Collwyd 2,276 o fywydau ac achubwyd 975.

Mae hanes suddo'r *Laconia* wedi ymddangos mewn sawl llyfr ac felly ni fanylaf yn ormodol yma, ond dyma'n fras beth a ddigwyddodd.

Ymddengys fod chwech o longau tanfor yr Almaen yn aros am gyfle i suddo llong yn cario milwyr Prydeinig yn y cyffiniau, un ai'r *Strathaird* neu'r *Strathallan.*

Pan ganfu Capten y llong danfor a suddodd y *Laconia* fod cannoedd o'i gynghreiriaid o'r Eidal yn boddi gwnaeth ei orau i'w hachub ac wedi codi cynifer ag a fedrid i'r badau achub fe glymwyd y badau yn ei gilydd fel trên a dechrau eu tynnu at arfordir Gorllewin Affrica. Heb fod nepell o'r *Laconia* yr oeddem ninnau yn y *Catrine* a'r tebygrwydd, cyn inni newid cyfeiriad, oedd ein bod yn hwylio yn syth i'r haid o longau tanfor.

Cododd cryn broblem ar y *Catrine* efo llygod mawr. Daethant i'r llong ym Madras neu Vizagapatam a bridio'n gyflym yn y tywydd poeth. Wrth inni agor dwy gongl o hats pob howld er mwyn eu gwyntyllu deuai'r llygod allan yn eu hugeiniau.

Wedi inni gyrraedd Lerpwl bu dyn o Awdurdod Iechyd y porthladd yn dal rhai o'r llygod mawr i'w harchwilio rhag haint.

Wedi dadlwytho seliwyd y llong a llanwyd hi â nwy *cyanide* i ladd y llygod. Clywais gan Capten Williams yr amcangyfrifid fod tua deg neu ddeuddeng mil o gyrff llygod mawr wedi eu llwytho ar lori i fynd i'w llosgi.

Siom fawr inni ar y daith oedd peidio â chael llythyrau yn Cape Town na Freetown nac ychwaith wedi cyrraedd Lerpwl. Yn fuan wedi inni ddocio daeth Mrs Capten Williams i'r llong ac meddai, wrth fy nghyfarch: 'Mae eich brawd yn well o lawer erbyn hyn.' Holais hi beth oedd yn bod arno, ac er braw i mi deallais fod David druan wedi bod yn Ysbyty Môn ac Arfon ers bron i dri mis. Yr oedd yn dioddef o *Osteomyelitis*. Heddiw gellir gwella'r anhwylder hwnnw yn weddol hawdd efo antibiotics, ond yn 1942 yr unig ffordd o geisio gwella'r claf oedd efo'r gyllell.

Pan gyrhaeddais adref cefais sioc o weld Mam wedi

heneiddio. 'Roedd wedi mynd yn hen wraig er pan welswn hi ym mis Mawrth — er nad oedd ond 48 oed.

'Roedd David erbyn hynny wedi'i symud o Ysbyty Môn ac Arfon i'r Heath Home yn Llanfairfechan a golygai hynny ei fod ymhellach byth oddi cartref. Cymerai bron drwy'r dydd inni fynd yno ac yn ôl i'w weld. 'Roedd yn rhaid cychwyn efo bws tua deg o'r gloch o Abersoch, newid bysys ym Mhwllheli, Caernarfon a Bangor, a byddai rhwng chwech a saith y nos arnom yn cyrraedd adref. 'Roedd golwg ddifrifol ar David druan, mewn plaster o'i frest hyd ei draed, ac eisoes 'roedd wedi cael llawdriniaethau mawr.

Penderfynais beidio â mynd yn ôl ar y *Catrine* fel yr oeddwn wedi bwriadu, a chan nad oeddwn yn ailymuno rhaid oedd hysbysu'r *pool* yn Lerpwl. Yr awdurdodau yn y swyddfa honno oedd yn delio efo llongwyr a thanwyr. Cofiaf enwau'r tri phrif ddyn yno, sef Deacon, Repp a Griffiths. 'Roedd Mr Griffiths yn hanu o gyffiniau Amlwch. Eglurais iddynt yn fy llythyr sut yr oedd pethau gartref, a gofynnais iddynt a fyddai'n bosibl imi gael aros gartref am ychydig yn hwy na'r naw diwrnod o wyliau a oedd yn ddyledus i mi.

Ni ddaeth ateb i'm cais o'r *pool*, ond diolch iddynt — fe'm siomwyd o'r ochr orau. Daliasant i yrru tâl wythnosol o tua £3 imi.

Cafodd David fy mrawd ddod adref o'r ysbyty yn gynnar ym mis Rhagfyr. Cofiaf yn dda ei gario i'r tŷ, yn ysgafn fel pluen er ei fod yn dal mewn plaster.

'Roedd dogni llym ar fwyd i bawb yr adeg honno wrth gwrs ond cafodd David help mawr gan yr annwyl ddiweddar Mrs Nellie Hogg, St Tudwals Hotel.

Anfonodd Mrs Hogg ginio maethlon iddo bron bob dydd am fisoedd.

Credwn yn siŵr erbyn hynny fy mod am gael aros gartref dros y Nadolig, ond daeth gair o'r *pool* yn gorchymyn i mi fy mhresenoli fy hun yno ar Ragfyr 18. A rhaid oedd ufuddhau.

Avon Coast

'Roedd yn wirioneddol gas gennyf gychwyn oddi cartref ar Ragfyr 18, 1942. 'Roeddwn yn swyddfa'r *pool* yn Lerpwl erbyn tua hanner awr wedi pedwar. Cofiaf yn dda ei bod yn bnawn gwlyb ac annifyr wrth i mi gerdded drwy'r blacowt. 'Roedd y swyddfa'n wag heblaw am Deacon tu ôl i'r cownter. Gwaeddodd arnaf *'Are you A.B.?'* Atebais fy mod a chefais gryn sioc pan ddywedodd fy mod i ymuno'n syth â'r *SS Avon Coast* yn noc Bramley Moore.

'Roedd un o'r A.B.'s wedi cael damwain wrth baratoi'r llong i hwylio. 'Roedd wedi colli un fraich pan ddaliwyd hi mewn wins.

Llong fach yn cario ychydig gannoedd o dunelli oedd yr *Avon Coast*. 'Roedd wedi ei llwytho efo copr, spam a phowdwr wyau, ac 'roeddem yn disgwyl cyrraedd Llundain ymhen rhyw wythnos. Cyntefig iawn, a dweud y lleiaf, oedd yr amodau byw arni. 'Roedd pedwar ohonom yn rhannu ystafell fechan lle ceid pedwar bync, dwy fainc, bwrdd bychan a stôf yn llosgi glo i gael cynhesrwydd. Yn wahanol i'r arfer ar longau *deep sea* 'roedd yn ofynnol i forwyr llongau bach y glannau ddod â'u dillad gwelyau efo nhw fel y soniais o'r blaen. 'Doeddwn i ddim wedi cael cyfle i sicrhau rhai wrth gwrs, a 'doedd dim amdani felly ond defnyddio rhai'r dyn a gawsai anaf.

'Roedd yr oriau gweithio hefyd yn wahanol. Byddai wythnos waith *deep sea* fel arfer yn 64 awr ond gan ein bod yn gweithio yr hyn a elwid *'watch on watch'* ar longau bach golygai hynny 10 awr un diwrnod, a 14 awr drannoeth. Dyna felly 82 awr un wythnos, ac 86 awr yr wythnos ddilynol.

Sais, Gwyddel a dyn o Sweden oedd y tri A.B. arall, a Gwyddel o Weriniaeth Iwerddon oedd Jerry Nolan, y Capten. Cawr o ddyn mawr trwm. Dim ond rhyw wythnos oedd ers i Capten Nolan yntau ymuno â'r *Avon Coast* a hynny hefyd oherwydd damwain. Tra oedd y llong yn Belfast darganfuwyd ei Chapten blaenorol yn farw yn ei gaban. 'Roedd ganddo yntau stôf bach yn llosgi glo ac ymddengys iddo gau drws a *portholes* ei gaban, a chafodd ei wenwyno gan nwy o'r stôf.

Dau ar bymtheg o griw oedd ar yr *Avon Coast* gan gynnwys dau hogyn o'r Llynges Frenhinol a ofalai am y ddau wn Oerlikon.

Talem £1 yr wythnos i'r cogydd am fwyd. Ef a brynai'r bwyd a'i baratoi inni. 'Roedd ganddo lyfr dogni ar gyfer pob un ohonom ond fel y gellid disgwyl ceid llawer o spam a wyau powdwr ar y fwydlen!

Ychydig iawn o longau a hwyliai drwy Fôr Udd, yr *English Channel,* yr adeg honno a golygai hynny orfod rowndio arfordir yr Alban. Disgwyliem fod yn Methil yn Fife ymhen pedwar diwrnod i lwytho glo tanwydd yno, ac yna hwylio mewn confoi oddi yno i Lundain.

Diddorol iawn i mi oedd hwylio gyda glannau'r Alban. Heibio i Mull of Kintyre a thrwy swnt Islay a'r Firth of Lorne, drwy swnt Mull, gydag Ardnamurchan Point ac ymlaen heibio i ynysoedd bach a'u henwau yn swnio'n od braidd, sef Muck, Eigg a Rhum. Ymlaen wedyn am Cape Wrath a Pentland Firth. 'Roedd yn rhaid gwneud yn siŵr fod y llanw yn rhedeg efo ni cyn mentro trwy'r Pentland Firth. Collwyd llawer iawn o longau yn y fan honno.

Pan gyraeddasom Methil ar 24 Rhagfyr daeth merched caredig y *WVS* i'r llong i'n gwahodd i ginio Nadolig yn y *Seamen's Bethel* erbyn chwech o'r gloch. 'Roedd tua 25 ohonom o dair llong wrth y byrddau, yn cael cinio Nadolig noson cyn y 'Dolig am ein bod yn hwylio fore trannoeth.

Yn Lerpwl o fewn llai na mis cyfarfûm unwaith eto â'm ffrind John Wheldon, ac aethom ein dau i 111 Admiral Street, sef Tŷ Capel Eglwys MC Belvedere Road. 'Roedd y teulu a drigai yno yn arbennig o annwyl, croesawus a charedig. Mae'n anodd meddwl am neb caredicach na Mr a Mrs Williams a'u merch Betty a'i phriod Glyn Jones. Gweithiai Mr Williams yn y dociau, a Glyn mewn swydd gyfrifol iawn efo cwmni llongau *Elder Dempster.* 'Roedd Dafydd Glyn Evans o Bwllheli, fferyllydd yn Myrtle Street, yn lletya yno.

Bûm yn 111 Admiral Street lawer gwaith, a'r un fyddai'r siars imi wrth ymadael bob amser: 'Cofiwch ddod yma y tro nesaf y byddwch chi yn Lerpwl.' Bellach 'does ond y fi ar ôl o'r cwmni dedwydd a oedd ar yr aelwyd yno yn Ionawr 1943. Bu farw John Wheldon ar 31 Rhagfyr 1954 a bu farw Mr a Mrs Williams tua diwedd y pumdegau.

Ymddeolodd Glyn a daeth ef a Betty i fyw i'r Efailnewydd. Maent hwythau a Dafydd Glyn wedi'n gadael bellach hefyd.

Hanner blwyddyn a dreuliais ar yr *Avon Coast* yn tradio i Lundain a Middlesborough, Belfast a Dulyn a Methil. Ychydig o gwsg a gâi neb ar y llong, dim bron o Methil i Lundain. Gorweddem yn ein dillad ar ein byncs a chadw'r gwregys diogelwch wrth law bob amser. Dim ond y rhai ohonom a fu'n hwylio ar arfordir dwyreiniol Lloegr ac yn arbennig yn aber afon Tafwys a all amgyffred y cannoedd o longau a gafodd eu suddo yno.

Pan fyddai'r llong wrth angor neu wrth y cei ni fyddai gennym drydan oherwydd fod y peiriannau cynhyrchu trydan yn segur. Nid oedd gennym radio heb sôn am deledu wrth gwrs, ac âi pawb a fyddai'n rhydd i'r lan i gael cynhesrwydd a diddosrwydd a thipyn o ddifyrrwch am ychydig oriau. 'Roedd sinema bach tu allan i giât doc East India, ac i'r fan honno yr aem pan fyddem yn Llundain.

Ni chymerai fwy na rhyw dri munud i fynd yn ôl i'r llong petai cyrch awyr yn digwydd. Ac wedi'r pictiwrs byddem fel rheol yn mynd dros y ffordd i dafarn bach enwog y Lifeboat.

Y Lifeboat oedd hoff dafarn paffwyr y rhan honno o ddwyrain Llundain — Poplar a Canning Town. 'Roedd lluniau ugeiniau o baffwyr ar y parwydydd yno. Un o'r enwocaf ohonynt, ac un y cawsom lawer o'i gwmni diddan, oedd Al Foreman. Credaf fod record Al Foreman yn dal o hyd, sef ennill gornest mewn 12 eiliad.

'Roedd gan Capten Nolan drwydded peilot i dair afon, sef Tafwys, Mersi a'r Liffey. Un tro, a ninnau wedi cyrraedd gyferbyn â'r cei yn Nulyn, 'roeddwn i wrth y llyw pan welais y Capten yn rhoi'r teligraph ar *full astern* ond ni ddaeth ymateb i'r gorchymyn gan y peiriannydd am tua munud. Pan roed y peiriannau i droi *full astern* 'roedd hi'n rhy hwyr ac aeth y llong ar ei phen yn erbyn y cei. Wrth lwc ni achoswyd difrod mawr. Gwraidd yr helynt oedd fod yr ail beiriannydd wedi picio i fyny ar y dec i weld beth a ddigwyddai.

Seliwyd pen blaen y llong efo sment i rwystro'r môr rhag dod i fewn a hwyliasom drannoeth am Lerpwl. Cofiaf yn dda i'r Capten dorri'r siwrnai wrth hwylio heibio i arfordir gogledd Ynys Môn gan hwylio reit gyda'r creigiau yr ochr i fewn i'r ddwy ynys fach *East* a *West Mouse.*

Ar ôl docio yn Lerpwl cefais ganiatâd i fynd adref, ond fe'm galwyd yn ôl ar fyrder i roi tystiolaeth mewn ymchwiliad i'r ddamwain yn Nulyn. Cynhelid yr ymchwiliad yn y Liver Buildings. Cefais fy holi ynglŷn â phethau fel *'your last helm order from the Captain'* ac a oeddwn wedi gweld a chlywed y teligraph yn cael ei ddefnyddio. Ond yr hyn a erys fwyaf yn fy nghof yw'r degau o ddynion o gwmpas y bwrdd mawr a'r holl aur ar eu llewys.

Cofiaf hefyd imi fynd i'r sinema y noson honno a gweld y ffilm *'This woman is mine'* — ond does yma 'run hyd yma!

'Roedd y gwaith yn galed ar yr *Avon Coast* a'r amodau byw yn bur gyntefig fel y dywedais. Ond 'roedd manteision hefyd. Cawn bicio adref yn reit aml, ac 'roedd Mam yn fwy bodlon o'r herwydd. Gofalwn am yrru pwt o lythyr iddi hefyd o bob porthladd.

'Roedd llawer o sôn yr adeg honno am yr 'ail ffrynt', ac y byddai lluoedd y cynghreiriaid yn glanio ar y cyfandir cyn hir. Gwnaed apêl am wirfoddolwyr o'r Llynges Fasnach i gymryd rhan. 'Roedd pawb am wn i yn ymateb yn gadarnhaol a gwnes innau yr un fath, a chael marc 'V' ar fy ngherdyn adnabod.

Pan oeddem yn Llundain yng Ngorffennaf 1943 daeth

gair fod yr awdurdodau eisiau'r llong ar gyfer rhyw waith arbennig a chawsom i gyd ein talu i ffwrdd.

'Roedd yn chwith gennyf adael yr hen long fach, er gwaethaf y caletwaith, yr oriau maith a'r diffyg cwsg. Cawsem lawer o sbort drwy'r cwbl, yn arbennig er pan ymunodd Peter Lynch, A.B. newydd, â ni. 'Roedd ef yn dynnwr coes heb ei ail, ac 'roedd ganddo lysenw ar bawb bron. Ei enw ar y Capten oedd *'cough drop'* ac ar y mêt *'vinegar'*. Pan aem i'r lan efo'n gilydd — y fo tua 6'5" a minnau yn 5'2", byddai'n gafael yn fy llaw wrth esgyn neu ddisgyn o fws a thram ac yn egluro i'r giard ei fod yn fy arbed rhag taro fy nhîn ar y step. 'Roedd tafarn o'r enw *The Rum Stores* ar y cei yn Nulyn, ac 'roedd i'r perchennog wyth merch. Rhoesai Peter ei fryd ar briodi un ohonynt, ond wn i ddim beth a ddaeth o'r garwriaeth.

Northland

Bûm gartref am yn agos i fis ar ôl gadael yr *Avon Coast* cyn cael galwad i swyddfa'r *pool* yn Lerpwl unwaith eto. Ar ôl i'r awdurdodau weld fy mod wedi gwirfoddoli ar gyfer cymryd rhan yn yr ail ffrynt, cefais ar ddeall y byddwn yn trafaelio i'r Alban i ymuno â llong newydd. Cefais ddogfen ganddynt i godi tocyn trên un ffordd o Lerpwl i Glasgow a dweud yn y fan honno fy mod ar gyfer *PO Box 5 Inverary.*

Bu'n daith o tua phedair awr ar y bws o Glasgow i Inverary a syndod i mi wedi cyrraedd oedd gweld mai pentref bach iawn ydoedd. Yn ôl llyfr yr AA am 1972 nid oedd y boblogaeth ond 438.

Saif Inverary ym mhen uchaf Loch Fyne ac o edrych i fyny ac i lawr y llyn ni welwn unrhyw fath o long yn unman, dim ond ugeiniau, onid cannoedd, o gychod o wahanol fathau a fyddai'n bwrpasol ar gyfer glanio milwyr ar dir y gelyn. Cefais ar ddeall mai llong o'r enw *Northland* oedd PO Box 5, ac y byddai cwch yn mynd â fi ar ei bwrdd. Wedi hwylio rhyw hanner milltir a rowndio penrhyn bychan, daeth tair llong digon rhyfedd i'r golwg. Gwelais mai *lake boat* oedd un, math o long arbennig i hwylio ar y Llynnoedd Mawr yn Canada. Ymddangosai'r ddwy arall yn rhyfeddach fyth, a'r ddwy yn union yr un fath. Y *Northland* oedd un o'r rheiny. Canfûm yn y man fod cannoedd o gomandos ar ei bwrdd a meddyliais ei bod yn barod i gychwyn i ymosod ar y cyfandir yn rhywle.

Aeth y bosyn â fi i gyfarfod â'r A.B.'s eraill, a'r cyntaf i mi siarad ag ef oedd Cymro, sef Harri Jones, a gartrefai gyda'i chwaer yn 3 School Terrace, Llanrhuddlad, Ynys Môn.

Holais Harri pryd yr oeddem yn debyg o hwylio, ond 'doedd ganddo ddim syniad. 'Roedd o wedi bod ar y llong ers dros ddau fis. Cymro arall arni oedd Mr Williams o Lanfaglan, ger Caernarfon, un o'r peirianwyr. *Southland* oedd enw ein chwaer long. *River Boats* Americanaidd oedd y ddwy a'r bwriad wrth gwrs oedd eu defnyddio ar gyfer glaniad. 'Roeddynt yn llongau cyflym ac yn abl i hwylio mewn dŵr bas iawn.

Erbyn gweld 'roedd dros 700 o gomandos ar fwrdd y *Northland* a byddai fflyd o gychod yn mynd a dod ohoni drwy'r dydd i ymarfer glanio ar wahanol fannau ar Loch Fyne.

'Roedd Inverary a'r cyffiniau yn lle prysur iawn ar y pryd. Yn ogystal â 700 yr un o ddynion ar y *Northland* a'r *Southland*, safai dau wersyll enfawr gerllaw — gwersylloedd Quebec a Kilbryde — a dywedid fod tua 5,000 yr un yn y rheiny.

Ni ellid dychmygu am well amodau byw nag a geid ar y *Northland*. Rhannwn gaban helaeth, moethus a glân efo hogyn annwyl iawn o Haydock o'r enw Jack Pojunas ac 'roedd y bwyd yn ardderchog.

Ychydig iawn o gwsg a gawswn tra bûm ar yr *Avon Coast* ond roedd pethau'n hollol wahanol ar y *Northland*. 'Roedd naw ohonom yn A.B.'s. Byddai wyth ohonom yn gweithio wyth awr rhwng 7 y bore a 5 y pnawn, ac un ar wyliadwriaeth nos. Cawsem felly ein gwelyau moethus drwy'r nos bob nos yn ddi-dor am ddeufis.

Profiad dieithr arall oedd cael papur newydd yn ddyddiol; 'roedd gennym radio hefyd a galwai cwch bob bore efo llythyrau — mor wahanol i'r fordaith olaf i mi ar y *Catrine* pan na chafodd neb yr un llythyr yn ystod cyfnod o saith mis.

Ymhen rhyw fis wedi i mi ymuno â'r *Northland* fe drawyd y bosyn yn bur wael. Bu'n rhaid ei anfon adref, a dyrchafwyd Harri Jones i'w swydd.

Soniai Harri lawer am gartref plant y Bontnewydd. 'Roedd ef a'i ddwy chwaer wedi eu gadael yn amddifad ac 'roeddynt wedi cael ail gartref da yno. Bu Harri druan farw yn ifanc tua 1947/8. Cafodd ddamwain ddifrifol efo beic modur, ac ni fu fawr o drefn arno wedi hynny.

Parhâi John Wheldon a minnau i lythyru'n achlysurol a chefais air ganddo yn ystod gaeaf 1943. 'Roedd erbyn hynny ar long wedi ei haddasu yn *pocket aircraft carrier.* Cawsai amser hunllefus arni, gan i'r *wolf packs* ei hymlid gydol y fordaith i Canada ac yn ôl. Dywedais i wrtho mai yn segur wrth angor yr oeddwn ac yn cael mynd i fy ngwely bob nos. Pan gefais lythyr wedyn y cyfarchiad ar ei ddechrau oedd 'Annwyl torpedo dodger!'

Yn gynnar yn 1944 ymunodd John â'r hen long enwog *Aquitania.* Yn awr nid oedd ball ar y canmol. Cawsai ddigon o fwyd a digon o ofyrteim. Teithient yn ôl a blaen rhwng Efrog Newydd ac afon Clyde. Ac Efrog Newydd, meddai John, oedd y porthladd gorau ar wyneb y ddaear. Cyflawnai bum mordaith rhwng Efrog Newydd a'r Alban ac yna cawsai siwrnai rydd ar gyflog llawn.

Yn yr un cyfnod 'roedd pob math o sibrydion ar y *Northland.* Credai pawb y byddem yn hwylio cyn hir ond er syndod mawr inni, un noson daeth gorchymyn ein bod i hel ein pac a gadael y llong fore trannoeth. Deuai bysiau i fynd â ni i Glasgow. 'Roedd Americanwyr yn cymryd ein lle. 'Roeddwn innau yn gadael y *Northland* wedi bod arni saith mis heb unwaith weld ei chapten!

Yn ôl yn Lerpwl euthum i swyddfa *Cunard* yn Pierhead i holi a oedd siawns cael ymuno â'r *Aquitania*. Rhoes y swyddog, Joe Lawless, addewid y cawswn pan ddychwelai'r llong i Brydain.

'Roedd yn dda cael mynd adref unwaith eto. Gwyddwn y buasai digon o waith i'w wneud tua'r tŷ a thua'r Capel ac y buasai hynny yn siŵr o fod yn lles imi ar ôl diogi cyhyd ar y *Northland*.

Aquitania

Nid oeddwn erioed wedi bod yn awyddus i hwylio ar longau mawr yn cario teithwyr, ac oni bai am John Wheldon ni fuaswn wedi breuddwydio am chwilio am le ar yr *Aquitania*. Gwyddwn ei bod yn llong fawr 45,000 tunnell a thros 900 o griw arni ond nid oeddwn wedi amgyffred ei maint nes mynd ar ei bwrdd. 'Roedd hi pryd hynny wrth angor ar afon Clyde, tua hanner milltir o Gourock.

Pan ddechreuais weithio arni teimlwn fel pe bawn ar fy mordaith gyntaf gan mor wahanol oedd popeth.

Bu llawer o Gymry ar y llong yn ystod y ddwy flynedd a hanner y bûm arni ond 'fedra i ddim cofio'n iawn faint oedd yna pan ymunais â hi gyntaf. 'Roedd yr hen gyfaill Alfred Owen o Lannor yn un, beth bynnag — a John Wheldon, wrth gwrs. Ond 'roedd ef, ysywaeth, yn ysbyty'r llong ac ni chawn fynd i'w weld.

Bu prysurdeb rhyfeddol ddiwrnod hwylio, yn enwedig y ddwyawr cyn codi angor. 'Roedd 24 o fywydfadau mawr — 12 bob ochr — i'w codi a'u crogi dros ochr y llong yn barod i'w gollwng i'r dŵr petai angen. Dyma waith caled a pheryglus, gan fod y llong yn hen, wedi hwylio o Lerpwl ar ei mordaith gyntaf ar Mai 30, 1914, a'r gêr gan hynny yn hen-ffasiwn iawn.

Wedi gollwng y peilot rhoed tua hanner dwsin ohonom i gadw gwyliadwriaeth. 'Roeddwn i ar y *monkey island* a braint oedd cael gwrando ar y Capten, sef Commodore

Illingworth, yn tywys yr anghenfil tri chanllath o hyd a oedd erbyn hyn yn stemio ffwl-spid — tua 23 knots. Clywn lais clir ac awdurdodol y Capten yn newid cwrs y llong wrth inni lithro heibio i Ynys Arran a thrwyn y Mull of Kintyre a thrwy'r sianel gogleddol allan i Fôr Iwerydd.

Gŵr o Kendal yn ardal y Llynnoedd oedd Commodore Illingworth. Daliai drwydded Capten mewn llongau hwyliau, ac *Extra Master* mewn llongau stêm.

Ychydig iawn o deithwyr oedd ar y llong, dim ond ychydig gannoedd o hogiau'r Llu Awyr yn croesi'r Iwerydd i ddysgu hedfan. Ymysg y dyrnaid o deithwyr eraill 'roedd un dyn arbennig iawn, sef Alexander Fleming, a ddarganfu benisilin. Cawsom wahoddiad un prynhawn i un o'r neuaddau mawr i wrando ar Dr Fleming yn rhoi darlith fer ar y modd y darganfuwyd penisilin a beth oedd y gobeithion i'r dyfodol efo'r cyffur gwyrthiol yma.

Ddiwrnod cyn inni gyrraedd Efrog Newydd dioddefwn yn arw gan ddolur gwddf. Ar y llongau eraill buaswn wedi dioddef yn dawel fel pawb arall ond yma euthum i weld y meddyg gan feddwl y buaswn yn cael rhyw gyffur ganddo, ond wedi iddo archwilio fy nghorn gwddf perodd imi ddod i fewn i'r ysbyty am ddiwrnod neu ddau. Wel, beth allai fod yn ddifyrrach, meddech chi, na chael mynd i'r fan honno at John. Ond siom a gefais. Pan gyrhaeddais i'r ysbyty 'roedd John wedi ei daflu allan i wneud lle i mi. Fe'm cadwyd i a dau neu dri arall dan glo yno tra bu'r llong yn Efrog Newydd — rhag ofn imi fynd allan i'r eira! Drannoeth wedi inni godi angor y cefais fy rhyddid ac y cafodd John druan fynd yn ôl i mewn. Dioddefodd ef amser poenus iawn bob cam adref a thalwyd ef i ffwrdd cyn gynted ag y cyraeddasom y Clyde. Mae'n anhygoel meddwl fy mod wedi gwneud trip i'r America ac yn ôl heb gael gair o gwbl ag o.

Cario milwyr a wnâi'r *Aquitania*. 'Roedd yn un o amryw o longau mawr a deithiai rhwng yr Alban a'r UDA.

'Roeddwn dan yr argraff ei bod yn cario 9,000 o filwyr, ond gwelais mewn erthygl yn y *Marine News* mai 7,724 oedd y nifer cywir.

'Roedd un o'r A.B.'s arni yn fachgen dawnus iawn; John Fry wrth ei enw. Pe ganesid ef yn Gymro buasai'n siŵr o fod yn un o brif arweinyddion nosweithiau llawen ac ati. Byddai yn trefnu ac yn arwain cyngherddau gwych i ddiddori'r milwyr. 'Roedd ganddo gamera a dawn arbennig i dynnu lluniau hefyd. Heliai gelc wrth werthu lluniau gan ddisgwyl cynilo digon i agor stiwdio ger ei gartref yn Bolton. A gwireddwyd ei freuddwyd. Cefais yr hanes gan ddyn a ddaeth i fyw y drws nesa ond un i mi yn Abersoch. Pan briododd Charles Steel, fy nghymydog newydd, yn 1948, John Fry a dynnodd luniau'r briodas.

Wedi i ni hwylio eilwaith o'r Alban cawsom y newydd ein bod yn mynd i Boston y tro hwnnw ac i'r doc sych yno am rai wythnosau i addasu un dec ar gyfer milwyr wedi eu clwyfo a dec arall i gario carcharorion rhyfel. Rhagwelid y byddai llu o'r rheiny pan agorid yr ail ffrynt.

Wedi inni fod yn y doc sych yn South Boston am tua phythefnos penderfynwyd diheintio'r llong â mygdarth. Golygai hynny y byddai'r holl griw yn mynd i fyw ar y lan am rai dyddiau, a syndod pleserus i ni fu deall fod trigolion caredig Boston wedi gwirfoddoli i roi llety inni yn eu cartrefi.

Daeth cannoedd o weithwyr i'r llong i'w pharatoi ar

gyfer y diheintio. Seliwyd pob *porthole*, gannoedd ohonynt, a phob drws a ffenestr a thwll awyr. Yn y cyfamser ’roeddem ni’r criw yn brysur yn dal y cathod. Dywedid fod tua dau gant ohonynt ar y llong ac aed â hwy i gyd mewn faniau i gathdy nes byddai’n ddiogel iddynt ddychwelyd.

Lletyai Raymond Napper o Lerpwl a minnau gyda Mr a Mrs Culpam, y ddau wedi eu geni yn Lloegr, y naill yn Bradford a’r llall yn Preston. ’Roedd Mr Culpam yn swyddog pwysig efo’r diwydiant gwlân. ’Roedd iddynt ddau fab, a’r rheiny mewn swyddi uchel efo’r llywodraeth yn Washington. Yn ystafelloedd y meibion y cysgai Raymond a minnau.

Wrth inni grwydro o gwmpas Boston efo Mr a Mrs Culpam yn eu cerbyd moethus, ’roedd hi’n anodd credu fod rhyfel byd-eang ar droed.

’Roedd Mr Culpam yn llywydd y gangen leol o fudiad y *Sons of St George*, mudiad cyfyngedig i ddynion wedi eu geni yn Lloegr. Pan aeth â ni i un o’u cyfarfodydd, ni bu wrthwynebiad i Raymond gael mynediad, ond bu raid cael pwyllgor brys i drafod fy achos i! Cawsom ein dau ein derbyn yn aelodau anrhydeddus dros dro. Rhoddwyd inni fathodyn bach i’w wisgo ac arno ymadrodd Lladin. Cofiaf mai’r cyfieithiad Saesneg oedd *‘evil be to him who evil thinks.’* Cofiaf am y cyfarfod hwnnw yn Boston bob tro y clywaf Huw Jones yn canu ‘Dwi isio bod yn Sais.’ Mae gennyf atgofion melys iawn am y pâr caredig a fu fel tad a mam i Raymond a minnau.

Hogyn amddifad oedd Raymond wedi ei fagu mewn cartref fel cartref y Bontnewydd. ’Roedd ei wraig yn *sister* yn Ysbyty Smithdown Road, Lerpwl (Sefton General heddiw). Hi oedd yn nyrsio Rudyard Kipling yn ystod ei oriau olaf ar y ddaear yn 1936.

Yn ystod ein cyfnod yn Boston ’roedd un o sêr Hollywood yno, sef Lauren Bacall, gwraig Humphrey Bogart, yn gwerthu *Defence Bonds*. O brynu rhai ganddi ’roedd caniatâd i roi sws bach ysgafn ar ei boch. Byddaf yn gwrido hyd heddiw wrth feddwl am bedwar neu bump ohonom yn ein gwiriondeb ifanc yn ciwio am y ‘fraint’.

Treuliasom beth o’n hamser yn gwylio pêl-droed a phaffio, a buom hefyd yn un o gyngherddau’r Boston Pops, lle ’roedd y miwsig yn ardderchog ond y gwrandawiad yn drychinebus — pawb yn yfed a bwyta a siarad a gweiddi.

Gwrando ar y radio a wnaethom drwy’r dydd bron ar y 6 Mehefin, 1944. ’Roedd lluoedd y cynghreiriaid wedi glanio yn Normandy y bore hwnnw. Meddyliwn yn arbennig am yr hen *SS Northland*, a beth tybed fu ei thynged. A chystal imi gyfaddef y teimlwn braidd yn euog fy mod yn byw mewn hawddfyd yn Boston a minnau wedi bod yn gymaint o jiarff yn cynnig fy help. Buom yn Boston am tua saith wythnos cyn llwytho dros 14,000 o filwyr Americanaidd a’u cludo yn ddiogel i afon Clyde.

Ar y fordaith nesaf ar draws Môr Iwerydd ’roedd gennym rai cannoedd o filwyr Americanaidd clwyfedig a thua dwy fil o garcharorion Almaenig, ynghyd â nifer mawr o filwyr o wlad Pwyl i’w gwarchod. Codasid math o gorlan fawr o wifren bigog yn un pen i ddec ‘B’, ac yno y byddai’r Almaenwyr, rhyw gant ar y tro, yn cael ymarfer corff ac ychydig o awyr iach. Er mai newydd gael fy mhen-blwydd yn dair-ar-hugain oed oeddwn i edrychai’r rhan fwyaf o’r carcharorion flynyddoedd yn iau na mi. Syllai’r mwyafrif ohonynt yn freuddwydiol ar y môr o'u cwmpas, gan ryfeddu, ond odid, fod llong fawr felly yn hwylio heb longau rhyfel i'w hebrwng, a dim golwg o long danfor Almaenig yn unman. 'Roedd hynny'n groes i bob dim a glywsant am frwydr yr Iwerydd. Ond 'roedd yr Almaen, fwy na heb, wedi colli'r frwydr honno er mis Mai, 1943.

Rhydd y profiad o hwylio i harbwr Efrog Newydd wefr i bob llongwr, mae'n siŵr gen i: llithro heibio i'r *Statue of Liberty* enwog ar ei hynys ac yna i'r chwith i fyny'r *North River*, heibio i'r *sky scrapers* ac, yn ein hanes ni, mynd wrth y cei yn Pier 86.

Yn ystod y chwe diwrnod a gymerai i groesi'r Iwerydd efo'r milwyr cynhelid cyngherddau ar y llong bob dydd gan rai o sêr y diwydiant adloniant, a threfnid gornestau paffio rhwng tîm o griw y llong a thîm o'r milwyr. Tri o'r llongwyr a ddaeth yn bur adnabyddus yn ddiweddarach oedd Charlie Chinn, Maurice Jones a Ken Barrat — y tri yn hogiau Lerpwl. Un grŵp canu a gofiaf yn dda yw *Spike Jones and his City Slickers*. Bydd Gareth Glyn yn chwarae record gan Spike ar ei raglen weithiau.

Erbyn hyn 'roedd John Wheldon yn aelod o griw y *Queen Elizabeth*. 'Roedd hi a'r *Queen Mary* ac amryw o longau mawr eraill yn gwneud yr un gwaith â ninnau a chefais, yn y cyfnod hwn, lawer o gwmni John a Humphrey Evans, Glandon, a oedd yn saer ar y *QE*, a Hugh Farrell o Sir Fôn, oedd yn *writer* arni. Byddai'r ddwy long efo'i gilydd yn bur aml yn Efrog Newydd.

Gwelaf yn ôl fy *Discharge Book* fy mod wedi 'talu i ffwrdd' ac wedi cael mynd adref ar wyliau ar Awst 16, 1944. Rhoeswn gais am wyliau er mwyn bod yn was priodas i Elizabeth, fy chwaer hynaf, a oedd yn priodi

Robert Ivor Williams o Gaernarfon. 'Roeddwn wedi prynu siwt newydd yn Boston, siwt lwydlas, ychydig goleuach na lliw lifrai hogiau'r awyrlu. 'Roeddwn hefyd wedi prynu crys a thei Americanaidd yr olwg yn Efrog Newydd a thybiwn fy mod yn edrych yn smart iawn, a dweud y gwir. Pan wisgais hwy i'm harddangos fy hun 'yn fy holl ogoniant' i'r teulu, rowlio chwerthin a wnaeth Mam a'm brawd a'm tair chwaer. Dedfryd David oedd fy mod 'fel rhywun o ffilm y *Marx Brothers*'. Aeth y briodas rhagddi'n hwylus — a minnau yno yn fy hen siwt! Cynhelid y wledd briodas yng nghaffi'r Carlton ym Mhwllheli. 'Roeddwn wedi prynu tùn saith bwys o salad ffrwythau a phacedi lawer o jeli yn Efrog Newydd, ac 'roedd y gwahoddedigion wrth y byrddau yn y Carlton yn methu â deall o ble daethai'r fath drysorau.

Yn y blynyddoedd hynny cymerid diddordeb mawr mewn colofn arbennig a ymddangosai mewn gwahanol bapurau newydd, dan yr enw *'Believe It or Not'* gan Ripley. 'Roeddem yn Efrog Newydd unwaith pan sylwodd rhywun ar frawddeg Gymraeg yn y golofn. Yr hyn a ddywedai, os cofiaf yn iawn, oedd: 'Pedwar ugain a deg a phedwar ar bymtheg — *Believe it or not means 99 in the Welsh Language*,' neu rhywbeth anghywir o'r fath. Cynigid mil o ddoleri i unrhyw un a allai brofi nad oedd Ripley yn iawn. 'Roedd y *Queen Elizabeth* gerllaw inni yn Pier 90, felly dyma roi'r dyn gorau ar waith i hawlio'r mil doleri, sef Hugh Farrell. Aeth Hugh i brif swyddfa Ripley ar 5th Avenue, ond i dorri'r stori'n fyr, yr ateb a gafodd oedd *'Very interesting, but as the caption says "Believe It or Not", and no one has to believe it.'* Chwalwyd ein breuddwydion yn y fan a'r lle.

Byddai amryw o'r A.B.'s yn gadael y llong bob tro y deuem i'r Clyde, a deuai rhai newydd yn eu lle. Bu tri hogyn annwyl o Borthmadog efo ni am sbel go hir, sef y brodyr John ac Albert Davies a'r diweddar Harry Lewis, a oedd yn bianydd da. Meddai Albert, John a Harry ar leisiau swynol hefyd a byddai'n werth eu clywed yn canu mewn harmoni. Cymro arall ar yr *Aquitania* oedd Evan Davies, o Ben-y-groes yn Arfon.

Ers un o'r troeon cyntaf i mi alw yn Efrog Newydd 'roeddwn wedi bod efo rhai o'r Cymry eraill yn un o'r ddau gapel Cymraeg yno. Safai capel Cymraeg yr Annibynwyr ar West 157 St, os cofiaf yn iawn. Ni chofiaf enw'r Gweinidog yno ar y pryd, ond y Parch E Cynolwyn Pugh oedd Gweinidog Eglwys yr Hen Gorff gerllaw. 'Roeddwn mewn oedfa yn y capel hwnnw y noson y ffarweliwyd â merch y Gweinidog pan gychwynnai i'r maes cenhadol. Bu hi am gyfnod yn ysgrifenyddes i Paul Tillich, y Diwinydd/Athronydd.

Daethom yn ffrindiau â llawer o aelodau caredig y capeli. Yn dilyn oedfa'r hwyr yng nghapel yr Annibynwyr âi pawb i'r festri eang a oedd tan y capel a chawsem swper hyfryd. Cafodd llawer ohonom groeso mawr ar aelwydydd Cymraeg Efrog Newydd hefyd ac 'roedd un aelwyd yn arbennig fel cartref oddi cartref i lawer ohonom, sef aelwyd Mr a Mrs Tom Evans, neu Yncl Tom ac Anti Katie fel y galwem hwy. Deuai Tom yn wreiddiol o Gwm-y-glo, Arfon a ganwyd a magwyd Anti Katie yn Molmynydd, Llanbedrog. Gadawsai Tom yr ysgol yng Nghwm-y-glo yn ifanc iawn a bu'n gweithio yn y chwarel am flynyddoedd cyn penderfynu — fel llawer o rai eraill —

fynd i'r America i weithio yn y chwareli ithfaen yn Nhalaith Vermont.

Aeth Anti Katie drosodd i America yn wraig briod ifanc. Nid wyf yn siŵr a oedd Billy, ei mab, wedi ei eni cyn iddi adael Cymru ai peidio. Fe'i gadawyd yn weddw yn weddol fuan ar ôl iddi gyrraedd America ac yn y man priododd â Tom, yn Wilksbarre, PA.

Fflat eang mewn bloc mawr o fflatiau oedd eu cartref yn Tiebout Avenue, yn y Bronx, Efrog Newydd. 'Roedd Billy Pierce, mab Anti Katie, yn briod â merch o'r enw Janet, ei mam yn hanu o ardal Llanberis, a'i thad o'r Almaen. Cafodd Billy ei glwyfo yn y rhyfel a bu ei fraich a'i ysgwydd dde yn ddiffrwyth am weddill ei oes.

Cawsom groeso ar aelwydydd Cymreig eraill yn Efrog Newydd hefyd, ond ychydig o'r enwau a erys yn y cof — dim ond ambell bâr fel Mr a Mrs Jim Jones o Fae Colwyn a Mr a Mrs Hubert Counsell. 'Roedd Mrs Counsell yn gyfnither i'r cerddor Mansell Thomas.

Rywbryd yn gynnar yn 1945 cawsom y fraint o fynd â 7,000 o hogiau America adref ar wyliau o faes y gad. Cyhoeddodd penaethiaid Lluoedd Arfog America eu bod am ddod â'r hogiau a fuasai'n brwydro ers y glanio yn Ewrop ym Mehefin 1944 adref am egwyl, ac yn yr *Aquitania* y daeth y garfan gyntaf. Mae'r croeso a gafodd y llong wrth hwylio i harbwr Efrog Newydd yn rhywbeth nas anghofiaf byth. 'Roedd yno ddegau o gychod yn ein hebrwng a dwy long ymladd tân yn chwistrellu jetiau o ddŵr i'r awyr. Ac 'roedd pob llong a chwch yn yr harbwr yn canu eu cyrn wrth gwrs. 'Roeddem ni'r llongwyr yn brysur fel arfer yn codi'r bywydfadau yn ôl ar y dec a bu tipyn o anhawster pan ddaeth y *Statue of Liberty* i'r golwg.

Rhuthrodd bron bob un o'r milwyr i ochr chwith y llong i gael golwg arni ac achosodd hynny i'r llong listio a pheri trafferth i'w llywio. Pan gyraeddasom Pier 86 'roedd llu o gamerâu teledu yno i'n disgwyl. O gofio'r flwyddyn, mae'n debyg ein bod ni'r Cymry ar y llong ymysg y Cymry cyntaf i ymddangos yn fyw ar y teledu. A sôn am sŵn, unwaith yn unig y clywais fwy o sŵn gan longau a chychod yn yr harbwr — a hynny pan gyhoeddwyd fod y rhyfel yn Ewrop drosodd.

Dyna noson oedd honno. Aeth dinas Efrog Newydd yn wallgof. Afraid fyddai imi geisio disgrifio'r miri yn y dathlu mawr yn Times Square. Rhaid imi gyfaddef y teimlwn braidd yn ofnus wrth fynd yn ôl ar fwrdd y llong y noson honno rhag ofn y bu gor-ddathlu fan'no, ac y byddai helyntion. Croes iawn i hynny fu hi. 'Roedd pawb bron yn cysgu'n dawel. Deuai'r rhan fwyaf o'r hogiau o gartrefi yng nghyffiniau porthladdoedd Glannau Mersi, Llundain a Southampton ac 'roedd llawer ohonynt wedi colli anwyliaid mewn cyrchoedd awyr. Ambell un, fel Ted Ray, o'r un wyliadwriaeth â mi, wedi colli ei deulu i gyd. Gweld y cwbl drosodd — dyna'r peth mawr.

Profiad rhyfedd o hynny ymlaen oedd hwylio gyda goleuadau braf ar bob dec, rhywbeth nad oeddem wedi ei brofi er Awst 1939. Brafiach fyth oedd cael gadael y *portholes* yn agored a theimlo awyr iach yn treiddio drwy'r llong.

Yn ystod haf 1945 dechreuodd y ddwy *Queen* a'r *Aquitania* hwylio i fewn ac allan o Southampton yn lle afon Clyde. 'Roedd hynny'n ddifyrrach o'r hanner.

O Southampton yr hwyliasom am Sydney yn cludo milwyr o Awstralia adref a'r harbwr yn diasbedain gan nodau Waltzing Matilda, y milwyr yn canu a Harri wrth y piano.

Ar ein Sul cyntaf yn Sydney aeth Harri Lewis, Evan Davies a minnau i barc Tarronga. Treuliasom oriau yno yn gwylio'r siarcod. Wedyn cawsom oedfa mewn capel Cymraeg yn Clarence Street, os cofiaf yn iawn. 'Roedd gan Harri lawer o ffrindiau yn Sydney ac yn ei gysgod cefais wahoddiad y Sul dilynol i ymweld â theulu o Borthmadog a oedd yn byw rhyw ugain milltir tu allan i Sydney. Yr oeddem ar blatfform yng ngorsaf Wynyard yn aros y trên pan sylwasom ar ddau blentyn tua 8-10 oed a ymddangosai fel pe baent ar goll. Holodd Harri hwy yn ei ffordd annwyl ei hun a chanfod eu bod hwythau yn aros am yr un trên. 'Roedd yn amlwg oddi wrth eu hacen y deuent o'r Almaen neu Awstria, ac o holi ymhellach cafwyd mai plant Lili Kraus, un o brif bianyddion y byd, oeddynt. 'Roedd eu mam yn cynnal cyngherddau yn Awstralia. Byddaf yn clywed recordiau o Lili Kraus yn bur aml ar Radio 3.

Aeth pythefnos yn Sydney heibio fel y gwynt. Dim ond rhyw 4,000 o deithwyr oedd ar fwrdd yr *Aquitania* pan hwyliasom oddi yno. Yn eu mysg 'roedd tua 600 o fechgyn a fu'n garcharorion rhyfel yn nwylo'r Siapaneaid. Cawsent eu rhyddhau dri mis cyn hynny ond fe'u dygwyd i Awstralia gan eu bod mewn cyflwr corfforol truenus. Nid oedd prinder bwyd maethlon iddynt yno.

Cyraeddasom Cape Town o Sydney ar ddydd Nadolig 1945 ac aeth y llong wrth y cei yn noc Duncan. Hi oedd y llong fwyaf erioed a fu yno. Cofiaf hyd heddiw y drafferth a gafwyd i'w sicrhau wrth y cei.

'Roedd y teithwyr i gyd yn rhydd i fynd i'r lan, ond

siarsiwyd pawb i fod yn ôl ar fwrdd y llong erbyn dau o'r gloch brynhawn drannoeth. Cawsom amser pryderus a phrysur wrth geisio cadw rheolaeth ar y rhaffau a ddaliai'r llong wrth y cei. Fel y llwythid olew tanwydd a dŵr iddi âi'n is yn y dŵr, a bu'n ymdrech barhaus i gadw'r rhaffau'n dynn rhag ofn iddi ddechrau symud.

Aeth pethau'n drech na ni tuag un o'r gloch brynhawn drannoeth. Dechreuodd y llong symud yn ôl ac ymlaen gan dorri rhai o'r rhaffau. Penderfynodd y Capten ac awdurdodau'r porthladd fod yn rhaid hwylio allan i'r bae. 'Roedd cannoedd lawer o'r teithwyr yn dal ar y lan. Canwyd corn y llong am hydoedd a daeth llawer ohonynt yn ôl yn heidiau ond bu'n rhaid gadael rhai ar y cei. Rhoddwyd addewid iddynt dros yr uchel-seinyddion y buasai'r llong yn angori yn y bae i aros amdanynt ond yn anffodus mynnodd rhai o bobl dda Cape Town geisio helpu trwy ddod â nhw mewn cychod at ochr y llong a hynny pan oedd yn tacio'n sydyn tu allan i'r doc. Cafodd rhai cychod eu dymchwel a'r sôn oedd fod rhai o'r bechgyn a fu'n garcharorion wedi boddi.

Bûm yn Cape Town ddeg gwaith ar ôl hynny ond ni cheisiais gael unrhyw wybodaeth am y digwyddiad. Gwell gennyf feddwl eu bod i gyd wedi eu hachub.

Ar ôl y fordaith o Awstralia hwyliem yn ôl a blaen i Efrog Newydd neu Halifax. Gwaith pleserus oedd hynny yn ystod 1946 gan mai cario bechgyn Gogledd America adref o faes y gad yr oeddem. 'Roedd awyrgylch pur wahanol ar y llong i'r hyn ydoedd yn 1944 a 1945 wrth eu cario drosodd i Ewrop. Yn 1946 byddem yn cario hefyd rhyw fil ar y tro o enethod a oedd wedi priodi Americanwyr neu wŷr o Ganada.

Atyniadau difyr yn Efrog Newydd oedd mynd i ben yr *Empire State Building* a mynychu'r *Radio City Music Hall*, ond y prif atynfa i mi oedd *Madison Square Gardens*. Awn i'r bocsio yno ar nosau Gwener, a bûm yn ddigon ffodus i gael gweld amryw o sêr y cyfnod, rhai fel Jake Lamotta, Tami Maruiello, Lee Oma a Rocky Graziano. Cofiaf yn dda gael cwmni John Wheldon i weld Beau Jack yn ymladd am bencampwriaeth y byd yn erbyn Bob Montgomery.

Un o ganeuon mwyaf poblogaidd y cyfnod oedd *'Drinking rum and Coca Cola'*. Yr Andrews Sisters a'i gwnaeth yn ffefryn, a bûm mewn theatr yn *Times Square* yn gwrando arnynt yn canu. Ond mae'n rhaid dweud fod 'Genod Tŷ'r Ysgol' yn canu'n llawer mwy soniarus na hwy.

Byddai uchel swyddog o fyddin Prydain ar bob llong cario milwyr, a bu un ag iddo gysylltiad ag Abersoch ar yr *Aquitania* am gyfnod. Byddai teulu o'r enw Grant yn ymwelwyr blynyddol yn y Wenallt, y tŷ tros y ffordd i'm cartref. Yn ystod y rhyfel daeth Mrs Grant a'r plant i fyw dros dro i *The Cottage*, yn Abersoch gan fod Mr Grant yn gwasanaethu yn y Fyddin. Tipyn o sioc i mi oedd sylweddoli mai yr *O.C. Troops* mawr mewn cilt oedd dyn fisitors y Wenallt — a oedd erbyn hyn yn Colonel Grant o'r *London Scottish Regiment*. Digwyddais ddweud yr hanes wrth Mrs Evans, Wenallt, ac mae'n rhaid ei bod hithau wedi sôn am y peth wrth Mrs Grant. Canlyniad hynny fu i'r Cyrnol yrru amdanaf rhyw ddiwrnod am sgwrs fach. Bob tro y gwelai fi wedyn, byddai yn siŵr o aros am eiliad i holi am Abersoch.

Un waith erioed y cefais fy logio, hynny yw cael dirwy.

’Roeddwn i a Harri Lewis ac Evan Davies wedi bod adref ar wyliau ddechrau Mawrth 1946, a’r tri ohonom i fod yn ôl erbyn 8 o’r gloch ar fore Llun. Golygai hynny anhawster mawr inni gan nad oedd trenau yn rhedeg o Bwllheli na Phorthmadog ar y Sul. Penderfynodd y tri ohonom fentro gohirio teithio tan ddydd Llun. Yn anffodus gwnaethai llawer o’r criw yr un peth a chawsom ein dal pan alwyd yr enwau ar gyfer y badau achub am ddeg y bore. Dygwyd ni o flaen ein gwell. Ceisiodd Evan eiriol ar ran y tri ohonom gan geisio egluro i’r Staff Captain *‘There are no trains you see on Sunday.’* Ateb hwnnw oedd *‘One has to pay for one’s pleasures.’* Costiodd £1.6.0 yr un i ni — tipyn o dolc yn wir.

Ar ôl dwy flynedd hapus dros ben gadewais yr *Aquitania* ar 14 Medi, 1946.

Ymhen tair blynedd wedyn daeth yr hen long i derfyn ei rhawd. ’Roedd ei phrif saer, Jimmy Elder, wedi bod yn gweithio arni pan adeiladid hi rhwng 1911 a 1914. Fo oedd ei phrif saer pan hwyliodd ar ei mordaith gyntaf ac ’roedd o’n dal yn aelod o’r criw pan adewais i hi.

SS Hillcrest Park

Bûm gartref hyd Hydref 21 ar ôl gadael yr *Aquitania.* Fy mwriad wedyn oedd ceisio cael lle ar un o longau bach cwmni *Cunard* a hwyliai i'r Môr Canoldir gan nad oeddwn erioed wedi bod y ffordd honno, ond bûm yn anlwcus. Pan alwais efo Joe Lawless yn y *Cunard Buildings* 'doedd yr un o'r *Medi Boats,* fel y'u gelwid, angen A.B. Felly cytunais â Joe i fynd i lawr i Avonmouth i ymuno â'r *Hillcrest Park.* Cawsai *Cunard* gryn drafferth i gael criw iddi. Yn wir 'roedd tipyn o drafferth yn gyffredinol i gael morwyr profiadol yn y cyfnod hwnnw gan fod cynifer wedi llyncu'r angor, llawer ohonynt, wrth gwrs, oherwydd yr erchyllterau a welsent yn ystod 1939-45. At hynny 'roedd digon o waith i'w gael ar y lan.

Ond mae'n debyg mai'r rheswm pennaf i mi gytuno i ymuno â hi oedd y buaswn yn ôl mewn pryd i dreulio'r Nadolig gartref. Nid oeddwn wedi cael 'Dolig gartref ers 1940.

'Roedd tri ohonom yn Gymry Cymraeg ymysg y criw — Mr Davies, y mêt a hanai o gyffiniau Aberteifi, Tecwyn Jones o Laingoch, Caergybi, un o'r llongwyr, a oedd yn ddeunaw oed, a minnau. 'Roedd Tecwyn newydd gwblhau mordaith ar yr *SS Gambian,* a pherthynas imi sef Griffith Jones Griffith, Fronheulog yn saer arni. 'Roeddwn i yn bump-ar-hugain oed erbyn hyn ac â syndod y sylweddolwn mai fi oedd yr hynaf o'r llongwyr, sef saith A.B., dau O.S., un decboi a'r bosyn. Cefais lysenw yn y fan a'r lle, *Pop*, am fy mod yn hen yng ngolwg y gweddill. Y bosyn oedd agosaf ataf ran oed, 'roedd o yn 22, yn arth o hogyn mawr cryf, sbel dros ei ddwylath ac yn pwyso tua 15 stôn. 'Roedd ef wedi bod yn *bo's'n's mate* ar y *Queen Elizabeth*, ac adwaenid ef arni fel Tiny Balshaw. Megis bron pob dyn mawr cryf 'roedd yn greadur hynaws iawn ac yn hawdd gwneud efo fo.

'Roedd yr *Hillcrest Park* yn un o'r ugeiniau, onid cannoedd, o longau a adeiladwyd yng Nghanada yn ystod y rhyfel a'u henwau bob un yn rhywbeth *Park* neu'i gilydd. 'Roeddynt yn llongau hwylus a hawdd iawn i'w rhedeg.

Yn Avonmouth 'roedd y llong newydd ddadlwytho gwenith, a rhoddwyd ni ar waith yn ddiymdroi i'w pharatoi ar gyfer llwyth arall. Deuid â'r gwenith o Norfolk, Virginia, U.D.A. Fel y gellid disgwyl gan griw ifanc 'roedd yno lawer o firi a thriciau a thynnu coes. Dyma un enghraifft o hynny: 'Roedd gwenith wedi bod ymhob howld ac yn y ddau danc mawr dyfn ar y llong a chan ein bod yn mynd allan yn wag i'r U.D.A. 'roedd yn ofynnol glanhau'r tanciau i'w llenwi â dŵr yn falast. Ond cyn i neb ddechrau eu glanhau clymwyd pâr o esgidiau ar ddwy gorsen hir a gwnaed ôl traed yn y llwch. Rhoddai hynny'r argraff fod rhywun wedi cerdded i fyny ochr y tanc ac fel pry ar hyd y to. 'Roedd y bosyn, yn gynharach, wedi dweud wrth y saer fod sôn am ysbryd yn un o'r tanciau — ysbryd dyn a gawsai ei lofruddio! Rhan y saer yn yr oruchwyliaeth o baratoi'r tanciau oedd datod ugeiniau lawer o bowltiau a ddaliai'r caeadau yn eu lle er mwyn rhoi pacyn newydd ar gyfer eu llenwi â dŵr. Pan welodd y saer druan ôl traed wedi cerdded fel pry yn y tanc, cafodd fraw garw a rhuthrodd drwy'r gwaith gynted ag y medrai i gael dianc oddi yno.

Wedi deuddydd neu dri hwyliasom i Gaerdydd i lwytho glo tanwydd a thipyn o wâst glo yn falast ychwanegol cyn hwylio am yr U.D.A. 'Roedd dau A.B. ac un hogyn ymhob gwyliadwriaeth a'r bosyn a minnau yn gweithio'r dydd o saith tan bump. Yna gorffen yn braf tan drannoeth.

Ymhob llong y bûm i arni byddai'r saer yn mynd rownd ben bore i sicrhau fod dŵr yn y gwahanol danciau a'r *bilges*. Un diwrnod cafodd nad oedd un o'r tanciau dyfn yn llawn a rhoed gorchymyn i'r peiriannydd a oedd ar wyliadwriaeth bwmpio dŵr iddo. Bu pwmpio am gryn amser pan sylweddolwyd fod y llong yn listio ychydig a bod sŵn dŵr i'w glywed dan un o'r hatsys. Aeth y mêt a'r bosyn a minnau i lawr yno a chanfod fod y dŵr yn dod allan dan gaead y tanc lle 'roedd y bwgan! Yn ei frys i ymadael 'roedd y saer wedi gadael rhyw lathen o'r ochr heb bacyn. I ychwanegu at y lanast ni allai'r dŵr ddianc o'r *tween deck* gan fod y wâst glo wedi ei olchi i'r tyllau a'u blocio. Aeth yn bedwar o'r gloch y pnawn cyn inni gael gwared â'r dŵr. 'Roeddem yn wlyb at ein crwyn, yn ddu o'n corun i'n sawdl — ac yn galw'r saer yn bob enw!

Bu cryn anfodlonrwydd ar yr *Hillcrest Park* ynglŷn ag ansawdd y bwyd, neu o leiaf am y modd y cawsai ei goginio. Cyfeiriais eisoes at yr hen ymadrodd *'God sends the food, and the Devil sends the cooks'*, ac ar yr *Hillcrest Park* 'roedd hynny'n wir. Edrychai'r bara yn iawn gyda chrystyn brown dymunol, ond nid oedd y tu fewn ond lwmp o does anfwytadwy. Un diwrnod penderfynwyd cadw'r toes nes byddai gennym ddigon i wneud model o'r llong. Cawsom lawer o hwyl un noson yn llunio'r campwaith pensaernïol mawr a'i osod ar y bwrdd yn y *messroom* yn barod i'r Capten i'w weld pan ddôi ar ei rownds drannoeth.

'Â pha beth y gwnaethpwyd hi?' gofynnodd y Capten gan gymryd arno na wyddai. Eglurwyd iddo, wrth gwrs, a chydag awgrym o wên dywedodd yntau: 'Hwyrach y medraf i wneud un well.'

Ar ôl llwytho gwenith a baco yn Norfolk, Newport News a Berkeley aethom i Efrog Newydd i gwblhau'r llwyth. Gorweddai'r llong yn Pier 54, yn yr union fan lle 'roedd y *Lusitania* cyn iddi hwylio am Brydain ar ei mordaith drychinebus olaf.

'Roedd Mr Davies, y mêt ar yr *Hillcrest Park,* wedi bod yn gyd-swyddog ar y *Queen Mary* â'r hen gyfaill annwyl, y diweddar Capten Merfyn Griffiths, Minafon, Abersoch, ac 'roedd Merfyn wedi bod yn fêt ar yr *Hillcrest Park* ychydig cyn i Mr Davies a minnau ymuno â hi. Pan oeddem yn paratoi'r llong ar gyfer hwylio am Lundain rhoes Mr Davies orchymyn inni roi tarpwlin newydd ar bob hats. Fu erioed ffasiwn hwyl wrth geisio eu gosod gan eu bod lathenni lawer yn rhy fawr. Merfyn oedd wedi eu harchebu, a fo gawsai'r bai gan Mr Davies am eu hyd a'u lled!

Pan gyrhaeddais adref wedi'r fordaith 'roedd cyfeillion lleol yn Abersoch wedi bod yn brysur iawn yn hel arian i groesawu'r hogiau yn ôl o'r Lluoedd Arfog. 'Roedd bron bawb ohonynt wedi cyrraedd adref erbyn hynny, yn Rhagfyr 1946. Noson i'w chofio fu noson y cyfarfod croeso ychydig ddyddiau cyn y Nadolig.

'Roedd y capel yn orlawn. Rhannwyd yr arian fel bod pawb yn cael pedwar swllt a grôt a dimai am bob mis o wasanaeth, a gelwid ar bob un yn ei dro i fynd i'r sêt fawr i dderbyn y rhodd. Fe gofiwyd yn ddwys hefyd am y rhai na ddychwelodd ac a orweddai mewn estron dir neu dan y don.

SS Chirripo

Heliais fy mhac unwaith eto yn fuan wedi'r Calan 1947 a throi am Lerpwl i chwilio am long arall. Derbyniais gynnig i ymuno ag un o longau *Elders & Ffyffes*, sef yr *SS Chirripo*. Gwyddwn eu bod yn llongau glân, hwylus a'r rhan fwyaf ohonynt bryd hynny yn hwylio rhwng Lerpwl ac Ynysoedd India'r Gorllewin, ond siom a gefais pan euthum ar fwrdd y *Chirripo* yn Noc Alexandria. 'Roedd hi'n fudr sobr. Hi hefyd oedd un o longau hynaf, onid yr hynaf un, o longau'r cwmni bryd hynny, ac wedi bod ar fenthyg i gwmni o Honduras ers cyn y rhyfel. Nid oedd ond rhyw fis ers pan ddaethai'n ôl dan reolaeth *Elders & Ffyffes*. 'Roedd hi wedi cyrraedd Lerpwl ychydig ddyddiau cyn i mi ymuno â hi efo dros 100,000 coesyn o fananas. Dyna tua deng miliwn o fananas yn gyfan gwbl. Cawsai'r llwyth ei gondemnio, ac o'r herwydd fe luchiwyd y cwbl i'r môr tu allan i far Lerpwl. Achos y trwbwl oedd diffyg ar beiriannau oeri'r llong.

Cymro o gyffiniau'r Wyddgrug oedd ei Chapten dan yr oruchwyliaeth newydd, sef Capten A. G. Jones, a Chymro hefyd oedd yr ail fêt, sef Mr Evans o Gaergybi. Cawsai'r Capten ei lysenwi'n *Football Jones* oherwydd ei awydd brwd bob amser am gael tîm pêl-droed da i'w longau. Wrth ddewis criw byddai'n holi'r hogiau a oeddynt yn bêl-droedwyr ac ym mha safle y chwaraent. Dyna'r sôn o leiaf.

Llong yn llosgi glo oedd y *Chirripo*. Deuai'r tanwyr, tuag

ugain ohonynt, o gyffiniau Lerpwl. Hwyliasom i Abertawe i lwytho glo tanwydd ac 'roeddem i aros yno dros nos cyn cychwyn am Jamaica. Pan ddaeth yn amser i ni hwylio canfuwyd fod deg o'r tanwyr wedi dianc yn ôl i Lerpwl a bu'n rhaid oedi am rai oriau i chwilio am ddynion lleol i gymryd eu lle.

Gellid synhwyro o'r cychwyn fod tensiwn rhwng dynion Lerpwl a'r newydd-ddyfodiaid o Abertawe, a hawdd oedd rhagweld y byddai helynt yn Jamaica o gofio fod cwrw a rỳm mor rhad yno.

'Roeddem mewn tywydd cynnes braf ymhen ychydig ddyddiau. 'Roedd Capten Jones yn hoff iawn o dorheulo a threuliai oriau lawer yn gorwedd ar gist fawr a ddaliai siacedi achub tu allan i'w gaban. Ar dywydd braf ymlwybrai'n ôl a blaen o'i gaban i'r brij heb ddim ond lliain amdano i guddio'i noethni.

Yn ogystal â'r criw 'roedd deg o deithwyr ar y llong, ac yn eu mysg, Lord a Lady Perth. Bob bore tua chwech dôi'r Capten i fyny i'r brij i gael sgwrs efo'r mêt. Un bore daethai Lord a Lady Perth am sgwrs efo'r mêt hefyd ac edrychodd y ddau mewn syndod pan welsant y Capten yn cyrraedd heb ddim ond y lliain o gwmpas ei lwynau. *'I know I look like Gandhi,'* meddai wrthynt yn swta, *'but, this is my bridge, and passengers have no business here without my permission.'* Aeth y ddau oddi yno'n reit dinslip, a gwelais y Capten yn rhoi winc ar y mêt.

Profiad hyfryd oedd cael hwylio mewn tywydd cynnes braf fel hyn. Mewn cyfnod o bedair blynedd a mwy dim ond un fordaith a gawswn mewn tywydd cyffelyb, sef y siwrnai i Awstralia ar yr *Aquitania* yn 1945. Cyn gynted ag y cyraeddasom Kingston, Jamaica 'roedd bron pob un o'r tanwyr wedi ei phlannu hi am y lan, lle 'roedd y tafarnau yn agored ddydd a nos, fe dybiaf. 'Roeddwn i ar wyliadwriaeth wrth y gangwe pan ddaethant yn ôl a bûm yn dyst i frwydr fythgofiadwy ar y cei rhwng Sgowsars Lerpwl a Jacs Abertawe. Rhythwn arnynt mewn sobrwydd pan glywais 'Psst, psst' o'r dec uwchben. Edrychais i fyny a dyna lle'r oedd Capten Jones yn gwylio'r sgarmes. Sibrydodd wrthyf drwy gongl ei geg: *'I think we are winning,'* gan gyfeirio atom 'ni' y Cymry.

Bu helyntion wedyn yn Port Royal yr ochr arall i'r harbwr, lle 'roeddem yn llwytho glo tanwydd cyn hwylio i Brownsville yn Texas i lwytho grawnffrwyth.

Credaf mai yn ystod y rhyfel y datblygwyd Brownsville yn borthladd i dderbyn llongau mawr. 'Roedd angen hwylio am rai oriau i fyny camlas i gyrraedd yno, ac 'roedd y dref ei hun rai milltiroedd wedyn o'r porthladd. Am mai'r *Chirripo* oedd y llong gyntaf o Brydain i lwytho grawnffrwyth yno bu ei hanes a'i llun yn y papur lleol yr adeg honno.

'Roedd yno bosteri ymhobman yn cyhoeddi fod dyddiau Charo yn agosáu, a rhybudd yn cyhoeddi y byddai pob dyn a welid wedi eillio'n lân yn cael can doler o ddirwy.

Heb sylweddoli fod coel wirioneddol ar beth felly aeth tri ohonom i'r dref ar bnawn Sadwrn ac fe'n cymerwyd ni i'r ddalfa'n syth a'n dwyn o flaen y *Brush Court* ar gyhuddiad o fod 'ymysg plant a gwragedd diniwed heb locsyn neu fwstash'. Eglurwyd i'r Barnwr nad oedd gan yr un ohonom fawr o arian. Trugarhaodd yntau wrthym gan osod dirwy o goron yn lle'r can doler. Mae'r dderbynneb gennyf o hyd a llofnod y Barnwr Barry

Fitzgerald arni. Tybed ai'r actor enwog oedd o?

Cwblhawyd y llwytho mewn rhyw wythnos, a'r noson cyn inni hwylio daeth fan at y cei gyda rhyw ugain sachaid o rawnffrwyth arbennig a gawsai ei ddatblygu yn yr ardal. Anrhegion oeddynt oddi wrth y *Texas Citrus Fruit Growers Association* i bobl bwysig ym Mhrydain. 'Roedd eu henwau ar y sachau: Eu Mawrhydi y Brenin a'r Frenhines; Mr Winston Churchill; yr Arglwydd Beaverbrook; yr Arglwydd Woolton; Mr Clement Atlee ac ati. Rhoed y sachau yn howld rhif 2 dros nos ac wrth i ni eu symud i'r ystafell lysiau fore trannoeth cafodd y tanwyr afael ar rai o'r bagiau. 'Diolch yn fawr ichi,' medda nhw, 'mi wnaiff y rhain yn iawn i ni.' Dygwyd pedwar neu bump o fagiau grawnffrwyth y pwysigion oddi arnom. Ni ddarganfuwyd eu bod ar goll nes inni lanio a phan oeddem yn gadael y llong ar ein ffordd adref 'roedd yr heddlu yn cyrraedd i wneud ymchwiliad. 'Roedd yn dda gennyf gael neidio i'r tacsi i ddal y trên ym Mryste.

'Roedd yn ddychrynllyd o oer yn Abersoch pan gyrhaeddais adref ac felly y bu tra bûm ar fy ngwyliau. Yn wir, parhaodd y tywydd rhewllyd hwnnw am saith wythnos. Bu'r daith yn ôl o Bwllheli i Avonmouth yn dipyn o hunllef. Achosai'r rhew broblemau difrifol gan fod y points ar y cledrau yn rhewi a'r trên o'r herwydd yn gorfod stopio'n aml ac aros yn hir weithiau. Bu tu allan i Henffordd am tua phum awr. I wneud pethau'n waeth doedd dim gwres yn y trên chwaith.

Bûm yn teimlo'n bur bryderus ynglŷn â'r grawnffrwyth diflanedig am hydion ond o drugaredd, ni chlywyd sôn amdanynt wedyn.

Cyn cychwyn ar y siwrnai nesaf o Port Royal am Lerpwl

archwiliwyd y llong yn fanwl yn ôl yr arfer rhag ofn fod gennym *stowaways*. Ni chanfuwyd yr un ond ymhen deuddydd clywodd y Capten sŵn yn y gist yr arferai orwedd arni. Cododd y caead, ac er ei syndod dyna lle 'roedd tri llanc ifanc yn cuddio. Gwelodd pawb, gan gynnwys Capten Jones, yr ochr ddigri i'r peth a chafodd y llanciau brydau bwyd fel ninnau. Fe'u rhoddwyd i weithio ar y dec a chawsent eu cloi dros nos yn y *forepeak*.

Hogiau digon annymunol oedd y tri *stowaway*, a dweud y gwir. Ni werthfawrogent y caredigrwydd a gawsent. 'Roedd y tywydd yn oeri wrth inni nesu at Lerpwl a chan nad oedd i'r tri ddillad cynnes rhoes y prif beiriannydd ganiatâd iddynt fyw mewn storws yn ystafell y peiriannau. Aeth popeth yn iawn am rai dyddiau ond un prynhawn ymosodd y tri llanc ar y trydydd peiriannydd efo spanars mawr trymion. Llwyddodd hwnnw i ddianc a galw am gymorth a chymerwyd y *stowaways* i'r ddalfa yn weddol rwydd a'u rhoddi mewn cyffion.

Un bore daeth gorchymyn i roi un o'r bywydfadau i lawr, ac i bedwar ohonom ni'r A.B.'s fynd yn y cwch efo'r mêt a'r tri *stowaway*.

'Roedd y *Chirripo* mewn cysylltiad radio â'r *SS Tilapa* — un arall o longau cwmni *Ffyffes*, ar ei ffordd allan o Lerpwl i Jamaica.

Arhosodd y *Chirripo* i roi'r cwch yn y dŵr a'r mêt, y tri bachgen, tri A.B. arall a minnau ynddo. Nid oeddem nepell o *Arklow Bank*, yr oleulong sydd tua 45-50 milltir i'r gorllewin o Ynys Enlli. Llwyddwyd i drosglwyddo'r llanciau i'r *Tilapa* yn gwbl ddidramgwydd ond yn sydyn daeth niwl trwchus ar ein gwarthaf a buom yn y cwch am dros bum awr cyn i'r niwl glirio'n ddigon da i Capten

Jones ddod i chwilio amdanom. 'Roedd hi'n ras yn erbyn y cloc wedyn rhag colli'r llanw i fynd i fewn i ddoc Hornby yn Lerpwl. A chael a chael fu hi. Cofiaf y noson yn dda.

'Roedd gennym radio ar y dec yn gwrando ar yr ornest baffio o Lundain, yr ymladdfa fawr rhwng pencampwr pwysau trwm Prydain, Bruce Woodcock a'r Americanwr, Joe Baksi. Torrwyd gên Bruce druan yn gynnar yn yr ornest a chafodd ei guro'n ddidrugaredd, ac ni fu fawr o drefn arno byth wedyn.

'Roedd hi hefyd yn ddiwrnod y gyllideb a'r Canghellor Stafford Cripps newydd roi swllt o dreth ychwanegol ar baced ugain o sigarennau.

Bwriadwn fynd am un fordaith arall ar y *Chirripo* ond ar ôl bod gartref am ddeuddydd neu dri cefais ddolur gwddf yn y modd mwyaf melltigedig eto. Cadwodd y meddyg fi yn fy ngwely am bythefnos a methais ag ailymuno â'r llong.

Erbyn hynny, gwanwyn 1947, 'roedd pawb a fuasai dros y môr efo'r Lluoedd Arfog wedi dod adref. 'Roedd digon o'm cyfoedion yn gwmni i sgwrsio a rhannu profiadau â hwy o gwmpas y pentref: Ifan Trofa ac Eric Gwynant er enghraifft, wedi bod yn India am dros bedair blynedd.

O'n safbwynt ni forwyr y Llynges Fasnach 'roedd pethau wedi newid yn arw erbyn hynny hefyd. Bellach 'roedd hawl i ddewis neu wrthod ymuno â llong y byddid yn hel criw iddi yn y *pool*.

Robert L Holt

Fy llong nesaf oedd y *Robert L Holt*. Yn y *pool* yn Lerpwl fe'm sicrhawyd gan Mr Atkinson, ei mêt, mai hi oedd 'y llong lanaf a hwyliai o'r porthladd'. At hynny 'roedd y cwmni, sef cwmni *John Holt*, yn talu 10% ar ben y cyflog o £24 y mis a dalai'r cwmnïau eraill. Golygai hynny y buaswn yn derbyn £26.8.0 y mis.

'Roedd y llong yn noc Brunswick yn llwytho ar gyfer mordaith i Orllewin Affrica. 'Roedd hi'n llong newydd. Dim ond un fordaith o ddau fis a wnaethai a syndod pleserus imi oedd gweld fod gan bob aelod o'r criw ei gaban moethus ei hun. 'Roeddwn wedi dotio ati. Pump o longau oedd gan gwmni *John Holt*, y pump wedi'u henwi ar ôl aelodau o'r teulu. *Robert L Holt, Thomas Holt, Godfrey Holt, Jonathan Holt* a *John Holt*. Bu *Robert L Holt* o flaen hon. Fe suddwyd honno yng nghyffiniau ynys Madeira ar 4 Gorffennaf, 1941; collwyd pawb oedd arni.

Tradio i borthladdoedd Gorllewin Affrica oedd yr unig beth a greai ychydig o anesmwythyd ynof gan mai fel 'bedd y dyn gwyn' y cyfeirid at y parthau hynny. Crybwyllais y peth wrth Mr Atkinson, ond dywedodd ef nad oedd lle i bryderu o gwbl. 'Roedd ef wedi bod yn morio yno ers blynyddoedd ac ni welodd neb yn cael malaria na dim ar ôl cymryd pilsen fach o Mecaprine.

Brodor o Burnley oedd ei meistr, Capten Anderton ac 'roedd o a Mr Atkinson yn ffrindiau mawr — help garw i greu awyrgylch hapus ar long.

Ym mhorthladd Takoradi, ar y Gold Coast, yr oeddem yn dechrau dadlwytho. Cawswn ar ddeall fod *kroo boys* yn ymuno â'r llong yno, ac yn wir, 'roedd 75 ohonynt ynghyd â'u pennaeth ar y cei yn ein disgwyl. Buont wedyn yn byw ar y llong wrth inni ymweld â gwahanol borthladdoedd, a nhw fyddai'n dadlwytho a llwytho ym mhobman. Fe'u bwydid hwy, y creaduriaid, â stwff y buasai moch yn ei wrthod yma yng Nghymru — rhyw fath o gymysgfa erchyll, weithiau yn cynnwys traed a pherfeddion cywion ieir.

Cawsem ni fwyd ardderchog. 'Roedd cogydd penigamp ar y *Robert L Holt*. Cawsem bwdin bob amser cinio ac 'roedd hynny'n beth dieithr ac amheuthun iawn yr adeg honno. Tamaid o bwdin ar ddydd Iau a dydd Sul fyddai'r drefn arferol ar longau Prydeinig. Deuthum yn ffrindiau mawr ar unwaith â Frank, yr A.B. ar yr un wyliadwriaeth â mi ac 'roedd yno un A.B. annwyl iawn arall a oedd dros drigain oed ac wedi gweithio i gwmni *John Holt* am flynyddoedd. Bu raid iddo roi'r gorau i'r môr tua diwedd y rhyfel i ofalu am ei wraig; gwnaeth hynny am ddwy flynedd hyd ei marwolaeth. Ffordd cwmni *John Holt* o gofio amdano oedd rhoi cynnig iddo hwylio ar y *Robert* newydd, a rhoi addewid iddo mai dim ond gwaith ysgafn a ddisgwylid ganddo.

'Roedd Mac — dyna'r unig enw a glywais arno — wedi hwylio am flynyddoedd ar longau hwyliau. 'Roedd ganddo acordion fach ac 'roedd yn werth chweil ei glywed yn ei chwarae, ac yn canu hen ganeuon y môr.

Ar y fordaith flaenorol, meddid i mi, 'roedd Mrs Creech Jones, gwraig Ysgrifennydd y Trefedigaethau bryd hynny, yn un o'r teithwyr ar y llong ac un noson aeth i gwyno wrth Capten Anderton fod sŵn *'the silly old man with the accordion'* yn niwsans. Dywedodd y Capten wrthi mai y fo oedd yn rheoli'r llong ac mai fo a benderfynai beth oedd yn niwsans ai peidio. Ni thawodd y canu.

Albanwr — nid yn annisgwyl — oedd y prif beiriannydd. Wedi iddo ddechrau gwisgo trowsus byr yn y tywydd poeth gwelwyd fod creithiau mawr ar ei gluniau a'i goesau. Gan y mêt y cefais yr eglurhad am hynny. 'Roedd y prif beiriannydd wedi cael llawdriniaeth a oedd yn weddol newydd ar y pryd ac ymddengys mai fo oedd y *guinea pig* fel petai cyn rhoddi'r un llawdriniaeth i'r Brenin Siôr VI.

I Accra, prifddinas y Gold Coast, yr aethom o Takoradi. Nid oedd porthladd yno ac felly byddai'r llongau yn angori tua hanner milltir allan o'r dref a dôi fflyd o gychod gwaelod fflat i lwytho a dadlwytho'r llongau.

Hon oedd y gyntaf o naw mordaith i mi i Orllewin Affrica ac ymwelais â deunaw o wahanol borthladdoedd yno. Cyfeiriaf yma at rai.

Lagos yn Nigeria oedd un, porthladd prysur iawn. Yn aml byddai'n rhaid angori am rai dyddiau cyn cael cyfle i fynd wrth y cei yno.

Un arall oedd Warri. I gyrraedd fan honno byddai'n rhaid hwylio am tua deg awr i fyny cilfach hir, ar ôl croesi'r bar ger aber afon Escravos. Gan amlaf wrth groesi'r bar gellid teimlo'r llong yn llithro drwy'r mwd. Ar lan y gilfach gwaeddai'r pentrefwyr yma ac acw *'Dash me, Joe'* a'r hyn a ddisgwylient oedd tuniau a photeli gweigion.

Unwaith erioed y bûm ar y lan yn Calabar. 'Roedd tîm pêl-droed y llong yn chwarae yn erbyn criw llong arall. Ar ôl y gêm euthum am dro bach rownd y dref am mai yno y treuliodd Mary Slessor, y genhades o'r Alban, y rhan fwyaf o'i hoes.

Rhyfedd oedd darllen yn llyfr El Bandito ei fod wedi bod yn reslo yn Calabar, ac fel un a fu'n dilyn hynt a helynt paffwyr, diddorol i mi oedd deall mai bachgen o Calabar oedd Hogan 'Kidd' Bassey a ddaeth yn bencampwr byd.

O Victoria, ceir golygfa wefreiddiol o fynydd Cameroon sydd bron deirgwaith cyn uched â'r Wyddfa. Saif tref Victoria wrth ei droed, a'r mynydd mawr fel pe bai'n codi'n syth o'r môr.

Ffrainc oedd yn rheoli rhan o wlad Cameroon y pryd hynny a byddai'n gas gennyf fynd i borthladd Doualla. Dyna'r unig le y gwelais ddynion gwynion â chwip yn eu llaw yn rheoli'r gweithwyr brodorol.

Llwytho logiau coed y byddem bob amser yn Liperville ger aber afon Gabon ac yn Port Gentil ar afon Ogooue. Ychydig i fyny'r afon honno y mae tref Lambarene, lle y treuliodd yr athrylith Dr Albert Schweitzer y rhan fwyaf o'i oes faith.

Rhywbeth yn debyg oedd pob mordaith ar y *Robert* ond er ein bod yn gweithio'n galed, a hynny am y rhan fwyaf o'r amser mewn gwres llethol, 'roedd bron pob mordaith ar yr hen long fach yn fwynhad pur. Eithriadau yw'r achlysuron eraill a erys yn arbennig yn y cof. Dyna'r tro y bu farw'r cogydd o losgiadau ar ôl cysgu yn ei wely a sigarét yn ei law, er enghraifft, a thro arall pan garcharwyd pedwar aelod o'r criw. Y trydydd mêt oedd un ohonynt, brodor o Geredigion ac yn fab y Mans, er na chlywais ef erioed yn siarad gair o Gymraeg. 'Roedd y bosyn, un A.B. a'r ail stiward wedi cynllwynio efo'i gilydd i ddwyn rowlyn o frethyn o howld rhif 2, ac addawsant arian i'r trydydd mêt am fenthyg y goriadau yn hwyr un noson. Daliwyd y lladron wrth iddynt geisio mynd â'r brethyn allan o'r doc, dygwyd hwy o flaen eu gwell a'u dedfrydu i garchar.

Ar un siwrnai dygem ffrwydron eithriadol o beryglus o angorfa yn Crosby Channel i Takoradi. 'Roeddem wedi dechrau eu dadlwytho yno pan fu cynnwrf mawr yn y dref, ac yn wir mewn llawer lle arall yn y wlad am fod yr awdurdodau wedi cymryd Kwame Nkrumah i'r ddalfa. Ofnai swyddogion y porthladd i'r ffrwydron fynd i ddwylo'r terfysgwyr a gofynnwyd i ni, yr A.B.'s a'r *kroo boys* eu hail-lwytho rhag blaen a ffoi o'r harbwr am ein bywyd.

Amgylchiad arall a gofiaf yw bod yn Apapa wrth ymyl llong o'r enw *Biafra* a roes sialens inni i chwarae gêm bêl-droed. Wrth sgwrsio efo rhai o fechgyn y *Biafra* dywedodd un ohonynt fod Cymro o'r enw Taffy Griffith yn aelod o'u criw. Na, 'doedd o ddim ar y cae pêl-droed. 'Roedd wedi aros ar y llong i wneud llongau hwyliau bach a'u rhoi mewn poteli. Gwyddwn fod Oswald, fy nghyfyrder, yn un da am wneud hynny. Euthum o'r cae i'r *Biafra*, ac yn wir Oswald oedd yno. Cawsom gwmni ein gilydd am nosweithiau a bu hen sgwrsio gan nad oeddem wedi gweld ein gilydd ers wyth mlynedd. A dyna ryfedd i Oswald a minnau gyfarfod yn yr union fan lle diflannodd Harri Jones, ei gefnder, oddi ar fwrdd ei long yn 1954, yn ddim ond 22 mlwydd oed.

Y fordaith olaf i mi ar y *Robert* fu'r un fwyaf pleserus o'r cwbl. Ar yr wyth mordaith flaenorol 'roeddem wedi dadlwytho pob llwyth ym Mhrydain, ond y tro olaf hwn cawsom fynd i Copenhagen yn Nenmarc ac Oslo yn Norwy.

Teimladau cymysg yn wir oedd gennyf ar 2 Ebrill, 1949 wrth adael y *Robert* ar ôl naw mordaith hapus iawn. Cawswn fynd adref am ychydig ddyddiau ar ddiwedd pob mordaith ond teimlwn ei bod bellach yn amser imi gael aros gartref am sbel go lew.

'Roedd llai o bwysau ariannol arnaf gan fod un o'm chwiorydd yn gweithio, ac 'roedd David, fy mrawd, hefyd wedi cael gwaith ysgafn yn swyddfa'r Post yn Abersoch trwy garedigrwydd Miss Rhiannon Evans, y bostfeistres, ac 'roedd yn hapus iawn yno.

Bûm innau yn cadw siop am rai blynyddoedd ar ôl gadael y môr. Un bore rhewllyd daeth Sais a oedd wedi ymsefydlu yn Llŷn i mewn a dechreuodd gwyno am yr oerni gan ei fod wedi treulio blynyddoedd maith mewn gwledydd poeth. Yn lle? Ar y Gold Coast. 'Roedd yn un o benaethiaid yr heddlu yno pan ymwelwn innau â'r wlad. Y fo oedd y dyn a gymerodd Kwame Nkrumah i'r ddalfa.

MV City of Swansea

Ar ôl ymadael â'r *Robert L Holt* bûm gartref tan ddechrau Mehefin 1949 cyn mynd i Lerpwl i chwilio am long arall. Gelwais i weld fy hen gyfaill Robert William Smith a'i deulu yn Arwel, 68 Exeter Road, Bootle, a chefais groeso cynnes fel arfer.

'Roedd Bob wedi gorfod rhoi'r gorau i'r môr oherwydd afiechyd. Cafodd swydd gyda Bwrdd Dociau a Harbwr Mersi a symudodd y teulu o Dudweiliog i Lerpwl yn 1943. Adwaenai ef ddau o arolygwyr cwmni *Ellermans* yn dda, Capten Cooper a Chapten Edgar, ac aeth â mi i gael gair â hwy. Cefais le yn un o chwe *quartermaster* ar yr *MV City of Swansea* a oedd yn y *Vittoria Wharf* yn Birkenhead.

'Roedd Cymro arall arni hefyd, sef yr annwyl ddiweddar John Williams, Llys y Gwynt, Cwm-y-glo.

Brodor o Moville ar Lough Foyle, Londonderry oedd y Capten, sef Capten Hernan, OBE. Ffrind bore oes iddo oedd Field Marshall Montgomery, ond ni wn yn iawn ble 'roedd hynny.

Un o Iwerddon oedd Clancy, y mêt, hefyd ond wedi priodi ac yn byw rywle tua Manceinion. 'Roedd yn glamp o gymeriad. Ei enw oedd Mr O'Driscoll, ond Clancy y gelwid ef ar y llong, am ei fod byth a hefyd yn mwmian canu cân a oedd yn boblogaidd yr adeg honno, *'Clancy lowered the boom'.*

Galwodd Clancy fi ato y pnawn cyntaf yr oeddwn ar y llong, a holi o ble y deuwn. 'Mae'n siŵr y byddi di yn hoffi mynd am dro hyd y wlad,' meddai, 'felly tyrd i'm caban am naw o'r gloch bore fory.' 'Roedd ei wraig a'r ferch fach a chlamp o gi mawr, bocsar, wedi cyrraedd i aros ar y llong efo Clancy a'r gorchymyn a gefais fore trannoeth oedd: 'Dos â'r ci yma am dro, a phaid â dwad yn ôl tan amser cinio.' Tynnodd y bwystfil ci fi am filltiroedd lawer y bore hwnnw.

'Roeddwn wedi sylwi fod yr *SS Wellington Court* yn dadlwytho haearn crai yn y *West Float*. Bu amryw o Abersoch a'r cyffiniau yn hwylio arni. Cofiwn fod Capten Griffith, Aberafon a'r brodyr Roy a Gwilym Jones, Nant y Big a Griffith Evans yr Hendre arni tua 1940, ac 'roeddwn yn amau fod Mr David Wiliams, Hazelhurst arni y dyddiau hynny. Euthum i holi ac yn wir roedd Mr Williams ar ei bwrdd a chawsom sgwrs ddifyr.

Gadawai'r *Wellington Court* a'r *City of Swansea* ddociau Birkenhead efo'i gilydd, y naill am Tangier a'r llall am Calcutta.

Peth dieithr i mi oedd cael hwylio drwy'r Môr Canoldir. Buaswn yn morio am dros ddeng mlynedd a heb erioed gael y cyfle.

Swydd dyn diog yw swydd *Quartermaster*! Ar wyliadwriaeth 'roedd un ohonom yn llywio'r llong a'r llall yn cerdded rownd y deciau yn edrych yn bwysig. Dyna'r cwbl a wnaem. Profiad gwefreiddiol oedd gweld camlas Suez am y tro cyntaf, a chael cipolwg ar gofgolofn Ferdinand de Lesseps, y peiriannydd o Ffrainc a fu'n gyfrifol am ei gynllunio.

Bu'r llong wrth angor ger y *Sandheads* ym Mae Bengal am ddau ddiwrnod cyn cychwyn i fyny afon Hooghly, afon anodd a pheryglus, ac yn sicr, un o'r rhai aflanaf yn y byd.

Mae'r daith ar ei hyd i ddociau Calcutta yn 125 milltir. Mae'r tlodi a welid, ac yn wir a welir yn India, ac yn arbennig yn Calcutta, yn annisgrifiadwy. Gwelsom lawer iawn o gyrff yn yr afon, a'r heddlu mewn cychod yn eu trywanu er mwyn iddynt suddo.

'Roedd pawb yn falch o gael hwylio oddi yno i orffen llwytho yn Madras a Colombo, ac yn falchach fyth o gael hwylio i ddadlwytho yn Halifax, Canada, a Boston, Efrog Newydd a Philadelphia yn yr UDA.

Synnwn yn aml sut yr oedd John Williams yn medru rhagweld symudiadau'r llong mor dda. Gwyddai o flaen neb i ble byddem yn mynd a pha bryd y byddem yn hwylio. Cefais wybod y gyfrinach un diwrnod. 'Roedd John a Capten Hernan wedi bod yn A.B.'s efo'i gilydd ac ryw long tua 1921. Âi'r Capten ar y brij yn ystod gwyliadwriaeth John a rhoi egwyl i 'Pinky' Williams, y trydydd mêt, er mwyn iddo fo a John gael sgwrs.

Anaml iawn y byddwn yn mynd i'r lan ym mhorthladdoedd India, ond un pnawn Sadwrn penderfynodd John Williams, Pat Brennan a rannai gaban â John, a minnau fynd i Chowringee i gael tipyn o newid o gwmpas y siopau.

Buasem fel arfer wedi cymryd tacsi o giât y doc i'r dref, ond mynnai Brennan ein bod yn mynd ar y tram a oedd ar fin cychwyn. Bu'n edifar gennym. Âi'r tram trwy barc mawr rhwng Kidderpore, ardal y dociau, a Chowringee ac yno daeth dyn gwyllt iawn yr olwg i fyny. Pan welodd ni ein tri tynnodd gyllell fawr allan, a chan floeddio ei fod yn Rajput, gwnaeth osgo i'n bygwth. Neidiodd tua hanner dwsin o'r teithwyr eraill ar ei gefn wrth lwc a chipio'r gyllell oddi arno. Stopiodd y tram toc. Daeth dau blismon i mewn a'r olwg ddiwethaf a welsom ar y Rajput oedd rhwng y ddau blismon yn cael ei bastynu'n ddidrugaredd.

Wedi mynd yn ôl i Philadelphia y tro hwnnw cofiaf yn dda mai fi oedd ar wyliadwriaeth un bore Sul o chwech tan hanner dydd, pan glywais fod Clancy wedi dychwelyd o'r lan yn yr oriau mân yn feddw gaib.

Tuag un-ar-ddeg dechreuodd llawer o bobl ddieithr ddod i'r llong. 'Roedd yn rhaid imi holi beth oedd pwrpas eu hymweliad wrth gwrs a'r un ateb a gawn gan bawb: 'Wedi cael ein gwadd am *cocktails and lunch* gan Mr O'Driscoll'. Daeth Capten Hernan heibio toc i holi beth oedd yr holl gynnwrf. Dywedais innau mai Mr O'Driscoll oedd yn cynnal parti. Gwenodd y Capten, *'I don't think he knows anything about it,'* meddai. Ac yn wir felly 'roedd hi. Aethai Clancy i glwb Gwyddelig ar y lan ac 'roedd wedi estyn gwahoddiad i bob copa yn y lle i ddod i'r llong am fyrbryd a choctel trannoeth. Bu'n rhaid i'r creadur dalu am y cwbl o'i boced ei hun!

'Roedd gweithwyr ar y llong yn addasu howld rhif tri ar gyfer cludo pedair injan trên enfawr ar gyfer Rheilffyrdd India. Pwysent ragor na 150 tunnell yr un. Fe'u llwythwyd yn ddidramgwydd efo craen mawr yn Richmond, Philadelphia a bu mintai o weithwyr yn brysur am oriau efo coed a gwifrau yn sicrhau'r angenfilod rhag symud ar eu taith i Bombay. 'Roeddwn i'n llywio o hanner nos tan ddau, mewn tywydd cymedrol a'r llong yn rowlio'n esmwyth pan ddaeth andros o sŵn o howld rhif tri. Llanast. 'Roedd y pedair injan wedi troi ar eu hochrau. Byddem bryd hynny yn cario ugeiniau o dunelli o ddillad, blancedi a phebyll ac ati, rhoddion i fudiadau fel y Groes

Goch. Âi'r cwmnïau llongau â hwy am ddim ac yn ffodus 'roeddem ni'n cario mwy nag arfer y tro hwn. Dyna fu'r llongwyr yn ei wneud am oriau - taflu'r bwndeli dillad i lawr i'r howld gan obeithio y byddai hynny'n sefydlogi'r llwyth ac yn arbed ychwaneg o ddifrod. Fe wnaeth, ac wrth lwc, cawsom dywydd ffafriol bob cam weddill y daith.

Yn rhan o'r llwyth a oedd wedi ei drefnu ar gyfer y daith yn ôl i'r UDA o Calcutta 'roedd tuag wyth gant a hanner o fwncïod *Rhesus* mewn cewyll. 'Roeddem i fynd â nhw i Boston ar gyfer arbrofion meddygol. Yn anffodus bu'r llong yn y doc am bythefnos a mwy cyn hwylio ac yn y gwres mawr 'roedd llawer o'r mwncïod bach wedi marw cyn inni gychwyn. Bu farw amryw wedyn bob dydd ar y daith. 'Roedd pawb ohonom wedi dod yn hoff iawn ohonynt, ac yn teimlo i'r byw drostynt yn derbyn y fath ddioddefaint a hynny ar eu ffordd i'r UDA i ddynion eu defnyddio i wneud arbrofion creulon arnynt. Erbyn i ni gyrraedd Boston dim ond tua deg ar hugain o'r mwncïod oedd yn fyw, ac nid oedd unrhyw fwyd addas ar gyfer y rheiny.

Pan welodd docwyr Boston y mwncïod a chael hanes yr 800 a drengodd, aethant ar unwaith i brynu ffrwythau i'r gweddill bychan oedd ar ôl ac i hysbysu'r cyfryngau. Yn y man 'roedd y lle'n frith o bobl o wahanol fudiadau gwarchod anifeiliaid ac atal creulondeb. Cafodd tynged y mwncïod bach gryn gyhoeddusrwydd — diolch am hynny.

Byddai John Williams yn arfer gwneud dau fygiad o de tua chwech o'r gloch y bore ac yn galw arnaf am baned a sgwrs yn Gymraeg wrth wylio'r wawr yn torri dros

Calcutta aflan. Un bore sibrydodd wrthyf 'Edrych drwy'r *porthole*, mae rhywun eisiau dy weld.' Beth oedd yno, rhyw bymtheg troedfedd islaw yn y dŵr, ond corff dyn wedi chwyddo'n fawr, ac un fraich iddo i fyny fel pe bai'n saliwtio. Pan ddaeth yr heddlu i'w archwilio cafwyd ei fod wedi ei lofruddio. 'Roedd ei wddf wedi ei rwygo o glust i glust, ac 'roedd bar haearn wedi ei glymu â gwifren wrth ei goesau. Rhoddwyd darn o ganfas drosto ar y cei i rwystro'r adar rhag ei fwyta.

Cofiaf lofruddiaeth arall hefyd. Dydd Gwener y Groglith 1950 oedd hi. 'Roeddem ni'n cerdded yn hamddenol ar y stryd yn Kidderpore pan ruthrodd dyn heibio inni a phump o ddynion yn ei erlid. Daliwyd ef rhyw hanner canllath yn nes ymlaen a lladdwyd ef yn y fan a'r lle efo cyllyll. Erys ei sgrechiadau yn fyw ar fy nghof. Yr eglurhad a gawsom gan yr heddlu oedd mai rhyw helynt rhwng Mwslem a Hindw oedd y drwg.

Ar ôl blwyddyn o fordaith newidiwyd y criw gwyn eu crwyn. Deuthum adref o Lerpwl ar yr *MV Georgic* (27,600 tunnell).

Profiad rhyfedd oedd cerdded o gwmpas y deciau fel rhyw toff dwy a dimai. Buasai'n gan mil difyrrach cael gweithio arni.

O ia, ynglŷn â'r injans trên a lwythwyd yn Philadelphia, y mae un ôl nodyn bach. Tua diwedd y saithdegau cefais sgwrs â dyn ym Mhwllheli a oedd newydd ddod yno i fyw. Siaradai Gymraeg ag acen Americanaidd, ac o holi a stilio daeth yn hysbys iddo dreulio llawer o'i amser yn Philadelphia. Mwy na hynny, fo oedd yn gyrru'r craen mawr a gododd yr injans trên i'r llong *City of Swansea*. Byd bychan!

City Of New York

Ar ôl bod gartref am sbel yn peintio a phapuro, a garddio a thacluso tua'r capel, ymunais ag un arall o longau *Ellermans*, y *City of New York*. Megis ar y *City of Swansea*, 'roedd tuag ugain o'r criw yn ddynion gwynion, a thros ddeg a thrigain yn Indiaid. Ben bore ar 27 Medi, 1950 daeth yr heddlu i'r llong a'n rhybuddio nad oedd yr un dyn gwyn i adael ac yn ystod y prynhawn cyrhaeddodd ditectifs dan arweiniad Herbert Balmer, pennaeth y CID 'rwy'n credu, gyda dynes ganol oed ddigon blêr yr olwg i'w canlyn. Gan mai fi oedd ar wyliadwriaeth o hanner dydd tan chwech, fy ngorchwyl i fu eu harwain i gaban y Capten.

Ymhen ychydig funudau galwodd Alan Jones, y mêt, ar bawb ohonom ni'r dynion gwynion i ddec y cychod. Fe'n trefnwyd yn rhes hir a daeth Balmer a'r ddynes yn araf ar hyd y rhes gan edrych yn ofalus ar bob un ohonom. Yna aethant yn ôl eilwaith at y saer a'i hebrwng i gaban y Capten. Yn fuan wedyn galwyd arnaf finnau yno ac wrth iddynt fy holi gallwn dystio fod y saer ar fwrdd y llong y noson cynt. 'Roedd wedi cyrraedd y llong tuag wyth o'r gloch a bu'n cadw cwmni imi o tua naw tan hanner awr wedi deg. Beth oedd yn bod? meddech chi. 'Roedd y ddynes a ddaeth i'r llong efo'r plismyn wedi treulio'r noson cynt mewn tafarn o'r enw *The Spanish Wine Lodge*, a thua hanner awr wedi deg 'roedd hi a dynes arall wedi ymadael mewn tacsi yng nghwmni dau ddyn. Disgynnodd y pedwar o'r tacsi yng nghyffiniau ysbyty'r Royal, ac yna gwahanu'n barau.

Fore trannoeth cafwyd hyd i gorff y ddynes arall ar ddarn o dir diffaith ger Dansie Street. 'Roedd wedi ei churo i farwolaeth â bricsen.

Dywedodd yr heddlu eu bod yn berffaith siŵr mai morwr oedd y llofrudd. Gwnaed ymholiadau ar bob llong yn y porthladd, ac ar bob un a hwyliodd ar ôl deg o'r gloch y nos ar Fedi 26.

Bu diweddglo annisgwyl i'r digwyddiad hwn ym mis Gorffennaf 1971 pan gerddodd dyn o'r enw William Collins i swyddfa bapur newydd ym Manceinion a chyfaddef mai fo oedd wedi llofruddio'r ddynes yn Dansie Street, Lerpwl un mlynedd ar hugain ynghynt. Yn yr achos llys yn ddiweddarach fe'i cafwyd yn euog a dedfrydwyd ef i flwyddyn o garchar. Tybed ai morwr oedd o? Wn i ddim.

'Roedd y *City of New York* yn llong hardd a hapus dros ben. 'Roedd Capten a swyddogion ardderchog arni. Brodor o Brixham oedd Capten SL Hoare, cawr o ddyn cydnerth a chanddo locsyn gwerth ei weld. Dywedodd Alan Jones, y mêt, wrthyf iddo dyfu'r locsyn i guddio creithiau'r anafiadau a gawsai pan suddwyd ei long yn y rhyfel.

Brodor o Bromborough yng Nghilgwri oedd Alan Jones, un o'r dynion mwyaf rhadlon a gwrddais erioed. 'Roedd wedi bod yn brentis efo llongau y *Clan Line* a'i bartner bryd hynny oedd Jack Llysfor, Abersoch. Bu farw Capten Jack yn ifanc. Yr oedd wedi gorfod rhoi'r gorau i'r môr ac aeth i gadw tafarn yr Albion ym Mangor.

’Roeddem i fod i gyrraedd Vizagapatam bnawn dydd Calan ac edrychai’r llong fel pin mewn papur. ’Roedd angen pwmpio dŵr ac olew tanwydd o danciau hanner ôl y llong i danciau yn y blaen fel bod trim iawn i fynd i fewn i’r porthladd. Cyfrifoldeb y saer oedd dweud pa bryd i stopio pwmpio ond yn anffodus syrthiodd i gysgu, a bu trychineb. Chwythodd olew o danc a oedd wedi gorlenwi, a chan fod y llong yn trafaelio 17 knot yr awr chwistrellwyd yr olew fel glaw mân drosti. Safai Capten Hoare ar y brij yn ei ddillad gwyn smart yn barod i hwylio i’r porthladd. Mewn dim ’roedd golwg ddifrifol arno, a’r olew yn diferu o’i locsyn. Ond ni bu drwg erioed na bu’n dda i rywun a bu’r digwyddiad hwn yn lles i dlodion Vizag. Cafodd ugeiniau, onid cannoedd ohonynt, waith am ddyddiau yn golchi’r olew i ffwrdd efo paraffin.

Ymhen sbel tradiai’r *City of New York* rhwng Ewrop a De Affrica a chefais bum mordaith hynod o bleserus ar y gwasanaeth hwnnw. Un o’r rhai cyntaf a welais ar y cei yn Durban oedd Tommy Roberts o Landeilo. Hwyliai Tommy a minnau efo’n gilydd ar yr *Aquitania*. ’Roedd wedi priodi geneth o Durban ers blynyddoedd ac wedi cael swydd gyfrifol efo awdurdod y dociau yno. Byddem yn treulio tua phum wythnos ar arfordir De Affrica cyn hwylio yn ôl i Lundain a docio fel rheol yn noc y West India. Felly y daeth cyfle imi weld gwŷr fel Jack Robertson a Bill Edrich, Len Hutton a’r brodyr John a James Langridge yn batio ar gae Thomas Lord ac ymweld ag Eddie Phillips, un o baffwyr pwysau trwm gorau’r tridegau, yn ei dafarn, y Lord Tredegar.

’Roedd Cymro arall wedi dod atom yn *quartermaster*

erbyn hyn, sef Wil Jones o Benmaen-mawr, er mai efo chwaer iddo y cartrefai yn Ross on Wye. 'Roedd Wil tua hanner cant oed ac wedi byw bywyd diddorol iawn. Dihangodd o long yn Awstralia pan oedd yn ifanc a bu'n crwydro yma ac acw cyn setlo i weithio yn y mwynfeydd plwm yn Broken Mill.

Fel arfer ni fyddai Wil yn cyffwrdd cwrw, ond pan wnâi, lwc-owt! Cofiaf ei weld ar achlysur neu ddau yn bur feddw am dridiau. Pan fyddem ar wyliadwriaeth byddai un o'r Indiaid efo ni, sef Pwri Wahlah — *bridge boy.* 'Roedd gen i un arbennig o annwyl, cydwybodol a ffyddlon, o'r enw Rahad Hussein. Pan oeddem ar wyliadwriaeth yn Durban unwaith clywsom ganu mawr ar y cei tuag un o'r gloch y bore: 'Y deryn pur a'r adain las' — hoff gân Wil. Aeth Rahad a minnau i lawr ar y cei i'w gyfarfod ond yn lle dilyn y llwybr penderfynodd Wil ddringo dros docyn o haearn sgrap ac aeth i gaethgyfle! 'Roedd yr awyr yn gwrido o regfeydd! Cafodd Rahad a minnau gryn drafferth i'w gael yn rhydd a'i hebrwng i'r llong ac 'roedd y tri ohonom yn rhwd haearn drosom. Gwrthododd Wil fynd i'w wely wedyn nes byddai wedi cael sglodion i'w bwyta. I dorri'r stori'n fyr aeth yn sâl iawn yn y gali — a 'does ryfedd yn y byd am hynny. Wrth glirio ar ei ôl gwelsom iddo ffrio'r sglodion mewn sebon meddal yn lle saim!

Trefnwyd cinio ar y llong i tua dwsin o bobl ddieithr yn Durban un tro. Yn eu mysg 'roedd dynes a ddioddefai o anhwylder ar ei chalon a chan na allai gerddded i fyny'r gangwe 'roedd y saer wedi rhoi llorpiau wrth gadair i'w chario. Wil a minnau a gafodd yr anrhydedd o wneud hynny. 'Roedd Alan Jones, y mêt, wedi'n siarsio drosodd a throsodd i fod yn ofalus. Pan oeddem ar fin codi'r ddynes dyma Wil yn sibrwd wrthyf 'Watshia ollwng y diawl.' Aed â hi'n ddiogel ar fwrdd y llong ac wrth inni roi'r gadair i lawr yn sidêt, gwenodd y foneddiges arnom a dweud mewn Cymraeg croyw, 'Diolch yn fawr, wnaethoch chi ddim fy ngollwng i yn naddo?'

'Roedd fy ffrind, Ifan, Trofa, wedi gofyn imi fod yn was priodas iddo yn ystod Ebrill 1952. Medrais dderbyn y gwahoddiad gan y byddai'r llong ym Mhrydain o ganol Mawrth tan ganol Ebrill ac edrychwn ymlaen at yr achlysur. Ond cawsom ar ddeall yn Lourenco Marques y byddem yn debyg o orfod angori y tu allan i borthladd Beira am bythefnos neu fwy cyn cael lle wrth y cei yno. Yn anffodus aeth y pythefnos yn fis a sylweddolais na fuasem yn ôl yn Llundain mewn pryd i mi fynd i briodas Ifan a Lyn. Bu'n rhaid anfon brysneges iddynt. Fel y digwyddodd, dim ond wythnos yn rhy hwyr oeddem ni ac 'roedd Ifan a Lyn yn Llundain ar eu mis mêl pan gyrhaeddodd y *City of New York*. Cefais wybod rhif eu hystafell yng ngwesty *Regent Palace* gan fy mrawd ac mae'r ddau wedi hen faddau i mi am eu ffonio am bedwar o'r gloch y bore. Cafodd y ddau de ar y llong y pnawn hwnnw.

Daeth meddyg newydd i hwylio efo ni ar un fordaith, sef Dr O'Reilly, brodor o Iwerddon, a oedd wedi treulio'r rhan fwyaf o'i oes yn llawfeddyg ym Manceinion. Soniodd droeon ei bod yn edifar ganddo na fuasai wedi cadw cysylltiad â nai iddo a aeth allan i Dde Affrica yn y dauddegau. Gwyddai fod ganddo swydd uchel efo Banc De Affrica a'i fod yn ystod y rhyfel yn gweithio yn Nairobi, Kenya.

Wedi i ni fod yn Mombasa, Tanga a Zanzibar aethom i orffen dadlwytho yn Dar-Es-Salaam. 'Roedd Dr O'Reilly a'r stiwardes wedi trefnu fod cwch yn dod i'w nôl fore Sul i fynd i'r offeren yn y Gadeirlan yno. Erbyn iddynt gyrraedd 'roedd y lle'n llawn iawn ond fe lwyddwyd i gael sedd i'r ddau ar y cyrion. Pan droes y doctor ei ben pwy a eisteddai wrth ei ochr ond ei nai. Byd bach eto.

'Roeddem yn Vizagapatam unwaith eto yn Nhachwedd 1952 ac yn aros yn y porthladd hwnnw am tuag wythnos. Yn arferol, ni fuaswn wedi ystyried mynd i'r lan yno o gwbl ond ar ddydd Mawrth, Tachwedd 25 daeth imi'r un teimladau yn union ag a gefais ar 31 Ionawr 1940 pan oeddwn ar y *Ruperra*, a chael gair yn Philadelphia yn ddiweddarach i ddweud fod fy Nhad wedi marw. Gwyddwn o'r gorau y pnawn hwnnw yn Vizag fod rhywbeth o'i le gartref. Teimlwn yn anesmwyth iawn, a bu raid imi fynd i'r lan i gerdded am oriau er mwyn bod ar fy mhen fy hun.

Hwyliasom o Vizagapatam i Colombo i orffen llwytho. Ymysg y llythyrau a dderbyniais 'roedd un oddi wrth David, fy mrawd, yr unig lythyr a gefais ganddo erioed. Soniai'n hwyliog am lond bws o gyffiniau Abersoch wedi bod yn Llundain am dri diwrnod, a'u bod wedi gweld gêm bêl-droed rhwng Lloegr a Chymru yn Wembley.

'Roedd tair o longau eraill cwmni *Ellermans* yn harbwr Colombo, a daeth Alan Jones i ofyn i bedwar ohonom fod yn gyfrifol am dynnu fflagiau'r *City of New*

York i lawr am chwech o'r gloch. Roeddem newydd wneud hynny pan ddaeth y dyn radio ataf a thynnu amlen o'i boced: *'It's bad news, Robbie,'* meddai. Darllenais y neges: *Brother David passed away today. (signed) Robert Ivor*, sef fy mrawd yng nghyfraith.

'Roedd y llong ar ei ffordd i'r UDA. Golygai hynny y buasem allan am flwyddyn o leiaf a phenderfynais yn syth fod yn rhaid imi geisio mynd adref. Eglurais yr amgylchiadau i Capten Hoare a chefais bob cydymdeimlad ganddo. Anfonwyd neges i'r tair llong arall perthynol i gwmni *Ellermans* i holi a oedd un ohonynt yn hwylio am Brydain, ac a oedd *QM* a fuasai'n fodlon newid lle â mi. Ymhen llai na hanner awr 'roeddwn wedi cael gwybod y buaswn yn hwylio i Lundain am hanner dydd drannoeth ar y *City of Windsor* a gyrrais neges i Mam i ddweud y byddwn adref ddechrau Ionawr.

SS City of Windsor

'Roedd y *City of Windsor* yn hen long, wedi ei hadeiladu yn 1923 a'i henwi'n wreiddiol yn *Kwaresbord.* Ail-fedyddiwyd hi gan gwmni *Ellermans* yn 1926. Profiad rhyfedd ar y dechrau oedd hwylio ar long na wnâi ond rhyw saith knot yr awr a minnau wedi arfer erbyn hynny ar longau yn gwneud tua 17 knot.

Os bu gŵr bonheddig erioed, Huw Lewis, mêt y *City of Windsor* oedd hwnnw. Meddai ar bersonoliaeth hyfryd tu hwnt. 'Roedd yn briod ac yn byw yn Aigburth, Lerpwl, ond brodor o gyffiniau Moelfre ym Môn oedd o.

Cymro oedd y Capten hefyd, sef Capten T. L. Vaughan, er na chlywais ef yn siarad Cymraeg o gwbl. 'Roedd wedi bod ar yr *SS Banffshire* efo Capten John Lewis Williams o Abersoch yn 1917.

Llong yn llosgi glo oedd yr hen *City of Windsor*, ac un peth a'm synnodd oedd gweld nad oeddynt yn taflu'r lludw i'r môr fel y gwneid ar y chwe llong arall a losgai lo y bûm i arnynt. Holais Huw Lewis ynglŷn â hyn a'r ateb a gefais oedd mai anrheg fach i bobl Port Said oedd y lludw i helpu i wneud ffyrdd. Erbyn cyrraedd y fan honno 'roedd ugeiniau o dunelli o ludw yn ddwy domen fawr ar y dec.

Pan gyrhaeddais adref 'roedd yno le digalon wrth gwrs, a Mam druan yn edrych fel hen wraig bedwar ugain oed erbyn hynny, er mai dim ond pump deg naw oedd hi.

Cefais hanes marwolaeth fy mrawd David o dipyn i beth. Pan oeddwn i'n cael y teimladau rhyfedd yn Vizagapatam ar 25 Tachwedd, 'roedd Mam wedi canfod David mewn twymyn mawr. Bu farw yn yr ysbyty ym Mangor heb ddod ato'i hun ar Tachwedd 29, 1952 yn 27 oed. Fe'i claddwyd ym mynwent y Bwlch, Llanengan ar 3 o Ragfyr — dair wythnos union ar ôl y trip i weld y gêm ffwtbol yn Wembley.

Fy mwriad oedd aros gartref am ryw ddau fis ond buan y sylweddolais na allwn fynd yn ôl i'r môr tra byddai Mam yn fyw, ac felly y daeth fy ngyrfa forwrol i ben. Er mor gas oedd gan Mam fy ngweld yn mynd i'r môr, 'rwyf yn siŵr ei bod wedi hen sylweddoli y bu'n dda iawn i ni fel teulu wrth 'yr hen fôr yna' ar ôl marw fy Nhad.

Ar ôl dod Adref

Er mai dim ond pedair blynedd ar ddeg o fywyd y môr a gefais, bu'n brofiad amhrisiadwy a chefais y fraint o hwylio yn ystod oes aur Llynges Fasnach Prydain.

'Roedd y rhan fwyaf o gapteiniaid y cyfnod yma yn ddynion a oedd wedi morio drwy ddau ryfel. Dynion ardderchog oeddynt, ac mae gennyf barch mawr i goffadwriaeth pob un ohonynt.

Byddaf yn mynd i Lerpwl yn achlysurol o hyd a daw hiraeth arnaf wrth gofio'r dyddiau gynt. Mae rhodio o gwmpas y *Pierhead* yn brofiad digalon heddiw wrth edrych ar yr afon — dim llongau yn y dociau, a dim prysurdeb yn adeiladau mawrion *Liver* a *Cunard*. Prin y gwelwch forwr ar gyfyl y lle.

Gellwch ddychmygu'r siom a gefais yn ddiweddar wrth basio'r *Tower*, yr adeilad hardd lle byddai prif swyddfa cwmni *Ellermans*. Mae heddiw yn swyddfa i gwmni sy'n gwerthu carpedi!

'Roedd o leiaf 36 ohonom o gylch Abersoch — 'Hogiau'r Rabar' — yn gwasanaethu yn y Llynges Fasnach yn ystod cyfnod y rhyfel 1939-45. 'Roedd 27 ohonom wedi mynd i'r môr cyn i'r rhyfel hwnnw ddechrau a bu o leiaf 13 ar y môr drwy gyfnod y ddau Ryfel Byd.

Dyma enwau y 36 y medraf eu cofio: Griffith Evans, Hendre; Humphrey Evans, Glandon; Capten William Evans, Brynhyfryd; Robert Marks Evans; Capten William Evans, Fron Oleu; William Ffoulkes, Tal-y-bont; Capten

Merfyn Griffith, Minafon; Arfon Griffith, Bwlchgwyn; Capten Griff Griffith, Aberafon; Griffith Jones Griffith, Fronheulog; Capten Harri Griffith, Angorfa; Oswald Griffith, Llainhenryd; Tom Hookes, Arfryn; Eurwyn Jones, Plas Sarn; Capten William Ifor Jones OBE, Bay View; Capten Salmon Jones, Sorton Villa; Gwilym Jones a Roy Jones, Nant y Big; John Lewis Jones, Wendon; Capten Lawton, Llwyn Onn; Arvon Owen, Arlanfor; Solomon Owen, Fferm Bwlchtocyn; John Prydderch, Bron Eifion; William Roberts, Daufryn; Capten Evan J. Roberts, Elm Bank; Glyn Roberts, Hillcroft; John Wheldon Roberts, Rhandir; Capten Einion Roberts, Llysfair; R. J. Roberts, Aber Cottage; Capten John Lewis Williams, Talafon; Capten Gwilym Williams, Egryn; Capten John Williams, Berwyn; Lewis Williams, Tŷ Rhos; David Williams, Hazelhurst; William Williams, Bryn Einion; John Williams, Fair View; Tom Williams, Fair View.

Mae'n anodd credu mai dim ond un, o drugaredd, a gollwyd o gofio fod un o bob tri o forwyr Llynges Fasnach Prydain wedi eu colli yn ystod y rhyfel.

Yr un a gollwyd o ardal Abersoch oedd Solomon Owen, Fferm Bwlchtocyn. 'Roedd ar y *Chulmleigh* pan ddrylliwyd hi ar greigiau ar arfordir Spitzbergen ar ei thaith o Brydain i Archangel yn Rwsia.

Bu Capten William Evans, Fron Oleu mewn cwch agored am tua phythefnos wedi i'w long gael ei suddo. 'Rwyf yn weddol siŵr mai'r *SS Trefuses* oedd y llong yr hwyliai Capten Merfyn Griffith, Minafon arni pan suddwyd hi ar Mawrth 5, 1943. Cofiaf iddo ddweud wrthyf mai dim ond sanau, trôns a siaced achub oedd ganddo pan fu'n rhaid iddo adael y llong. Collwyd tri o'r criw.

Oswald Griffith, Llainhenryd, mae'n debyg, oedd y cyntaf o Lŷn i'w long gael ei suddo yn y rhyfel. 'Roedd ar yr *SS Winkleigh* pan suddwyd hi ar 8 Medi, 1939. 'Roedd Oswald ar yr *SS Lottinge* ar 13 Mai, 1941 hefyd pan ymosodwyd arni gan awyren efo bomiau a gynnau. Yn wyrthiol, ni anafwyd neb a llwyddwyd i gyrraedd yn ddiogel i afon Tyne.

'Roedd Tom Hookes, Arfryn ar fwrdd yr *MV Catrine* pan drawodd fein ar 29 Rhagfyr, 1940. Trawodd un arall drannoeth ond llwyddwyd i'w dwyn i ddociau Birkenhead. 'Roedd Tom ar ei bwrdd hefyd ar 13 Mawrth, 1941 pan ddisgynnodd bom 500 pwys arni.

Ar yr *SS Lagosian* yr hwyliai Eurwyn Jones, Plas Sarn pan suddwyd hi 28 Mawrth, 1943. Collwyd un-ar-ddeg o'r hogiau ac achubwyd y gweddill gan long o wlad Belg. Bedair awr ar ddeg yn ddiweddarach suddwyd honno wedyn ond ni chollwyd bywydau y tro hwnnw, ond cafodd amryw o'r bechgyn losgiadau difrifol.

Credaf mai am ei wrhydri ar fwrdd y tancer *Virgilia* y cafodd Capten William Ifor Jones, Bay View yr OBE. Bomiwyd y *Virgilia* yn Lerpwl ar Hydref 11, 1940 a suddwyd hi ar y 24 Tachwedd, 1941.

'Roedd Arvon Owen, Arlanfor ar fwrdd yr *SS Empire Simba* pan fomiwyd hi ar 1 Mawrth, 1941 ac 'roedd arni hefyd pan drawodd fein wrth gyrraedd Lerpwl, Mawrth 14, 1941. Fel y soniais eisoes, dyfarnwyd yr *Oakleaf* i Arvon am ei ran yn achub y tancer *MV San Cirilio* pan gafodd dorpido ar 1 Mawrth, 1942. 'Roedd Capten Einion Roberts, Llysfair ar fwrdd yr *SS Llandilo* pan suddwyd hi yn aber afon Tafwys, 22 Rhagfyr, 1940. Llwyddwyd i'w chodi, ond suddwyd hi drachefn ar 2 Tachwedd, 1942.

Capten John Lewis Williams, Talafon, oedd meistr y *Catrine* pan drawodd ddwy fein ar ddeuddydd agosaf i'w gilydd, Rhagfyr 29 a 30, 1940. Cafodd Capten Williams brofiad tebyg yn y Rhyfel Byd Cyntaf hefyd. 'Roedd ef a Humphrey Roberts, Dolwar yn aelodau o griw yr *SS Gorsemoor* pan suddwyd hi ar Fedi 12, 1918, ac 'roedd Robert William Smith, Benar Isa, yn aelod o'r llong ryfel a yrrwyd i'w hachub. Cofiaf R. W. Smith yn dweud fod 'John, Talafon yn smocio'n braf — fel tasa fo ar drip Ysgol Sul'.

Ar yr *MV Agnita*, tancer perthynol i gwmni *Shell*, yr oedd Capten Gwilym Williams, Egryn pan suddwyd hi ar 22 Mawrth 1941 ac y cymerwyd ei chriw yn garcharorion. Bu Capten Williams yn garcharor hyd Mai 1945.

Llong Capten Williams, Berwyn oedd un o'r rhai olaf i ddianc o Singapore pan oresgynnwyd y lle hwnnw gan luoedd Siapan.

Dim ond naw ohonom sydd ar ôl o'r 36 a hwyliai'r moroedd o 1939 i 1945. Yn y saith mlynedd hynny suddwyd 2,406 o longau masnach Prydain — a chollwyd 29,994 o forwyr.